COUPS DE THÉÂTRE

COUPS DE THÉÂTRE

CHRISTIAN GRENIER

RAGEOT

Cet ouvrage a été imprimé sur un papier
issu de forêts gérées durablement,
de sources contrôlées.

Certifié PEFC

Ce produit est issu
de forêts gérées
durablement et de
PEFC™ sources contrôlées.

10-32-2580   pefc-france.org

IMPRIM'VERT®
Votre imprimeur agit pour l'environnement

Couverture de Vincent Dutrait.

ISBN 978-2-7002-2920-2
ISSN 1766-3016

À Sophie.

NOTE DE L'AUTEUR

Ce roman en cinq actes n'est pas une pièce de théâtre, mais son adaptation pour la scène est possible. En ce cas, il faudra apporter des modifications au texte et à la mise en scène suivant les goûts ou les possibilités de la troupe.

On pourra par exemple :
- supprimer ou raccourcir certaines scènes
- supprimer certains rôles
- transformer certains rôles masculins en rôles féminins, et inversement.

PERSONNAGES
(par ordre d'entrée en scène)

GERMAIN : Germain Germain-Germain, inspecteur

LOGICIELLE : Laure-Gisèle, sa stagiaire

COMMENTATEUR : voix off télé

MATILDA : Mathilde Goducheau, mère de Loulou, actrice

MÉDECIN : spectateur

LÉGISTE : médecin de la police

PHOTOGRAPHE : de la police/figurant

POLICIER 1 : gardien de la paix

POLICIER 2 : gardien de la paix

DIRECTEUR : Pierre-Aimé Bouchard

AUTEUR : René Brusses

RÉGISSEUR : Max Deguy

POMPIER : Montag

ÉLECTRICIEN : Maurice Descande

MACHINISTE : Julien, également accessoiriste

SOUFFLEUR : Paul Bert

JO : barman

ALFREDO : ami de Loulou, acteur

LOULOU : Louise Goducheau, fille de Mathilde, amie d'Alfredo, actrice

ANNIE : habilleuse et coiffeuse

GILLES : Gilles Binchois dit « monsieur de Saint Gilles », ami de Matilda, petit truand

BRIGADIER : au commissariat

REMPLAÇANTE : de Matilda, actrice/figurante

DIRECTEUR DU LIDO : Antoine Blanc

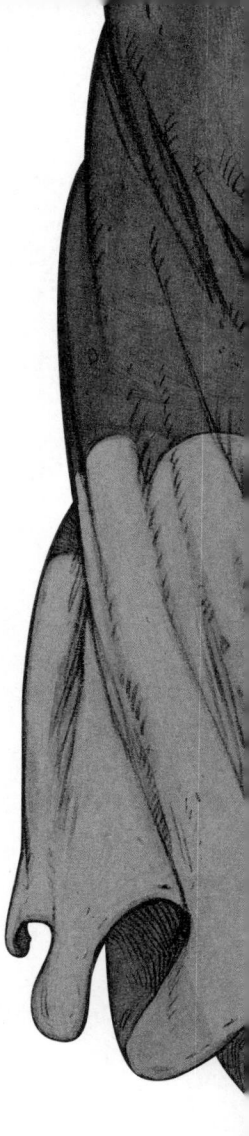

Acte I

*Dans le séjour
de l'inspecteur Germain :
canapé, fauteuil, téléviseur ;
un coin repas.*

SCÈNE I

Germain et Laure-Gisèle achèvent de dîner. Ils s'apprêtent à trinquer.

GERMAIN – Je bois à votre avenir dans la police, mademoiselle Laure-Gisèle !

LAURE-GISÈLE – Et moi, au succès de votre future enquête, inspecteur Germain !

GERMAIN, *sombre* – Soit. À mon succès. J'en ai bien besoin.

LAURE-GISÈLE – Pourquoi donc ?

GERMAIN, *plus enjoué* – C'est vrai, vous n'êtes pas au courant : je suis sur la touche, mademoiselle Laure-Gisèle. En sursis. Au bord du licenciement. *(Il boit.)*

LAURE-GISÈLE – Vous ?

GERMAIN – Mais oui ! Si vous êtes aujourd'hui ma stagiaire, c'est au bénéfice de mon ancienneté, et parce que je ne suis pas trop mauvais pédagogue. Mais en tant qu'inspecteur, je ne fais plus l'affaire. À la moindre faute, je saute !

LAURE-GISÈLE – Mais vous ne serez pas renvoyé ?

GERMAIN – Oh non! On me mutera ailleurs, dans une banlieue difficile. Sur un poste dont personne ne veut. À moins que je ne devance cette humiliation en demandant ma mutation pour la province.

LAURE-GISÈLE, *embarrassée* – J'ignorais que vous étiez dans une situation aussi… délicate.

GERMAIN – C'est sans importance. D'ailleurs, j'adore la province! Vous connaissez le Périgord? Je donnerais tout le XIIIe arrondissement de Paris pour la ville de Bergerac! Et puis je suis las de la capitale, de la foule, des problèmes de drogue, de délinquance… Je me demande bien ce que je fais dans la police! *(Tout à coup intrigué.)* Et vous, pourquoi y êtes-vous entrée, mademoiselle?

LAURE-GISÈLE – Par hasard. J'étais au chômage. Je me suis présentée à un concours de la police, j'ai été admise. En réalité, je suis informaticienne. Ma spécialité, c'est la conception de programmes. D'ailleurs, dans l'entreprise qui m'employait, on ne m'appelait pas Laure-Gisèle mais… *(Elle hésite, rougit un peu.)* attendez, vous ne vous moquerez pas de moi, monsieur l'inspecteur?

GERMAIN – Mais non, voyons! Alors, comment vous appelait-on?

LAURE-GISÈLE – Logicielle. Au féminin, bien sûr.

GERMAIN, *songeur* – Logicielle… Mais c'est un sobriquet tout à fait approprié pour un jeune lieutenant de police ! Vous permettez que je vous appelle Logicielle ?

LOGICIELLE, *fâchée de sa propre confidence* – Je n'aurais jamais dû vous dire ça !

GERMAIN – « Mademoiselle Laure-Gisèle », c'était bien sophistiqué ! Et vous, arrêtez de me servir des « monsieur l'inspecteur Germain » : appelez-moi donc Germain, tout simplement.

LOGICIELLE – Germain ? Ah non, si vous n'y voyez pas d'inconvénient, je préférerais vous appeler par votre prénom.

GERMAIN – Mais c'est aussi mon prénom.

LOGICIELLE, *incrédule* – Attendez… Alors vous vous appelez… Germain Germain ?

GERMAIN – Mieux : voyez-vous, j'avais douze ans quand ma mère est morte. Mon père, Firmin Germain, s'est remarié. Mais il est mort lui aussi, quelques années plus tard. Avant de disparaître, il a donné deux consignes formelles à sa nouvelle épouse. L'une d'elles était la promesse qu'elle m'adopterait après son décès. Ce qui fut fait. Et comme la seconde épouse de mon père s'appelait évidemment Germain, je porte officiellement ce nom accolé au mien. Si bien que je m'appelle Germain Germain-Germain.

LOGICIELLE – Mais c'est extrêmement compliqué !

GERMAIN – Comment ça, compliqué ? On ne peut pas faire plus simple, au contraire ! Si vous m'appelez « Germain », vous êtes sûre de ne pas vous tromper ! Allez, à votre santé, Logicielle !

Ils trinquent et achèvent leurs verres.

LOGICIELLE – Merci, Germain. C'était un excellent repas.

Logicielle se lève, visiblement prête à partir. Mais au moment d'enfiler son blouson, elle se ravise et déclare tout à coup :

LOGICIELLE – Germain, vous m'avez dit tout à l'heure : « Je me demande bien ce que je fais dans la police. » Est-ce que je peux, moi, vous le demander ?

Germain, debout, consulte sa montre.

LOGICIELLE – À moins que vous n'ayez pas le temps de me l'expliquer ?

GERMAIN, *soupirant* – Puisque vous y tenez… Asseyez-vous.

Ils reviennent tous deux s'asseoir. Germain fronce le sourcil, préoccupé. Il semble que cela lui coûte de raviver ses souvenirs.

GERMAIN – Votre spécialité, Logicielle, c'est l'informatique. Eh bien ma passion, voyez-vous, c'est le théâtre.

LOGICIELLE – Mais alors, pourquoi ne pas avoir…

GERMAIN – Attendez, ce n'est pas si simple. Mes parents étaient acteurs – oh, ils furent de très modestes comédiens : durant toute leur carrière, ils ont mangé de la vache enragée; ils ont vécu de petits cachets, de méchants contrats et de tournées improvisées. Pour gagner leur vie, ils ont accepté les plus petits rôles qu'ils apprenaient parfois en catastrophe. Souvent, ils m'emmenaient avec eux. J'ai grandi dans la fascination de la scène, du public, des applaudissements… Un enfant ne pouvait être que séduit par cette existence de saltimbanque. Aujourd'hui encore, je ne peux pas voir se lever un rideau sans ressentir une émotion très particulière. Ah, vous ne pouvez pas comprendre !

LOGICIELLE – Vous vouliez devenir acteur ?

GERMAIN – Bien entendu !

LOGICIELLE – Et ils s'y sont opposés ?

GERMAIN – Évidemment !

LOGICIELLE – La seconde consigne que votre père, avant de mourir, a donnée à votre future mère adoptive, c'était sans doute de vous empêcher de faire du théâtre ?

GERMAIN, *soudain intrigué* – Mais comment savez-vous cela ?

LOGICIELLE – C'est logique. Mais malgré les aléas du métier de comédien, je m'explique tout de même très mal cet acharnement à vous éloigner du théâtre.

GERMAIN – Le théâtre, Logicielle, c'est le règne de l'apparence. C'est l'univers du décor, du clinquant. Ceux qui pénètrent dans ce monde l'apprennent parfois à leurs dépens. Beaucoup abandonnent leur propre personnalité pour adopter celle de personnages factices et provisoires. Certains y trouvent la gloire. La plupart y perdent leur âme. Connaissez-vous l'expression : « Il tuerait sa mère pour faire un bon mot » ? J'ai connu des acteurs qui, pour glaner quelques applaudissements, ont été capables des pires bassesses...

Germain semble sortir d'un rêve. Il consulte à nouveau sa montre.

GERMAIN – Autant vous l'avouer, Logicielle : le théâtre est un virus que j'ai contracté dans mon enfance et je n'en suis pas guéri ! Par exemple, voyez-vous, ce soir à 20 h 30...

LOGICIELLE – Mais oui, j'oubliais : la première chaîne retransmet en direct une pièce policière inédite ! Pardonnez-moi, Germain, j'aurais dû me douter que vous voudriez la regarder.

GERMAIN – C'est sans importance ! J'ai un magnétoscope...

LOGICIELLE – Rien ne vaut le direct, Germain, surtout au théâtre !

Elle se lève, met son blouson, se dirige vers la porte.

LOGICIELLE – Je me demandais pourquoi vous m'aviez priée de venir dîner si tôt. Je vous laisse, bonne soirée !

Germain la suit, fait mine de la retenir, mais assez mollement.

GERMAIN – C'est ridicule ! J'avais même oublié que cette pièce était diffusée ce soir. Pour un peu, je la ratais…

LOGICIELLE – Il n'en est pas question. D'ailleurs, je veux aussi la voir.

GERMAIN – Voulez-vous la regarder ici ?

LOGICIELLE – Non, j'habite à deux pas. Je file ! À demain, Germain…

Il la laisse ouvrir la porte ; ils se serrent la main.

LOGICIELLE – Et merci !

GERMAIN – Vous n'étiez vraiment pas obligée…

Elle ferme la porte derrière elle sur un dernier petit signe amical.

23

Scène II

GERMAIN – ... de partir si vite !

Aussitôt Logicielle sortie, Germain se précipite sur le téléviseur qu'il allume ; il enlève ses chaussures qu'il lance du bout de chaque pied au milieu de la pièce ; il quitte sa veste qu'il jette sur le canapé, puis saisit la télécommande avant de s'effondrer dans son fauteuil.

GERMAIN – Ouf, j'ai cru qu'elle ne partirait jamais ! Oh, mon magnétoscope, j'ai bien mis une cassette, au moins ?

Il revient précipitamment vers le meuble hi-fi. Il vérifie que le magnétoscope, qu'il avait évidemment programmé, s'est déclenché. Puis il revient s'affaler dans son fauteuil.

GERMAIN – Tout est en ordre !

De sa télécommande, il monte le son du téléviseur dont l'image, plan fixe sur un rideau rouge fermé, montre un générique.

COMMENTATEUR – Voici donc, retransmise en direct depuis le Théâtre du Crime, à Paris, la toute nouvelle pièce policière de René Brusses, *Meurtre en direct*. Pour la première de ce spectacle, la salle est comble, comme vous pouvez le constater...

Le générique achevé, la caméra balaie la salle d'un large travelling avant de se fixer sur le rideau immobile, sous lequel on distingue, au premier plan, les silhouettes des spectateurs du premier rang. Tandis que l'intensité de la lumière diminue, la voix du commentateur baisse au point de se transformer en chuchotement.

COMMENTATEUR – Et puisque vous n'avez pas la chance d'être parmi le public, au moins disposerez-vous de la meilleure place pour assister à cette représentation !

Le commentateur est interrompu par les trois coups qui invitent les spectateurs à se taire. Dans le silence et l'obscurité, on entend le froissement du rideau qui se lève. Enfin, des projecteurs éclairent le centre de la scène, où une jeune femme gît, face contre terre, un couteau planté dans le dos.

GERMAIN, *riant* – Ah ah ! Excellent début ! Très original !

La sonnerie d'un téléphone retentit sur scène. Il y a bien, en effet, un appareil téléphonique sur un guéridon – mais l'actrice ne semble guère en mesure de décrocher.

GERMAIN – Un peu long, ce suspense…

La sonnerie s'interrompt. Quelques murmures naissent dans le public. Puis on perçoit un cri et plusieurs exclamations qui semblent provenir des coulisses. La caméra, indécise, effectue un travelling avant et s'attarde complaisamment sur le dos de l'actrice dont la robe s'auréole à présent d'une large tache de sang.

GERMAIN – Quel réalisme ! Mais je me demande si…

Saisi par un doute, Germain aiguise son attention. Tout à coup, deux hommes surgissent des coulisses, à gauche de la scène, et se précipitent sur le plateau, visiblement affolés. L'un d'eux se penche sur le corps de la jeune femme. « Non ! Ne la touchez pas ! » crie le second qui, se tournant alternativement vers la salle, les coulisses, les cintres, puis à nouveau vers le public, bégaie : « Veuillez nous excuser pour cet incident qui… Rideau ! Mais enfin, Max, faites tomber le rideau ! Est-ce que… Est-ce qu'il y aurait un médecin dans la salle ? »

Incrédule, indécis, le public s'agite bruyamment. Plusieurs spectateurs se lèvent. Quelqu'un hurle. Un homme en smoking, au premier rang, se hisse sur la scène juste au moment où le rideau tombe. Et la caméra, hésitante, se promène sur la salle soudain saisie de panique, avant de se fixer sur le rideau obstinément fermé.

COMMENTATEUR – Il semble… Il semblerait que vient de se produire sur la scène du Théâtre du Crime un… incident imprévu. À moins qu'il ne s'agisse là d'une audace exceptionnelle du metteur en scène qui… Non. La représentation est tout à fait interrompue. Eh bien, je me vois contraint de rendre l'antenne.

Germain se lève, scandalisé.

GERMAIN – Mais ce n'est pas vrai ! Je rêve !

Sur l'écran apparaît le visage souriant et navré d'une présentatrice, aussitôt remplacé par une page de publicité.

GERMAIN – C'est ça ! Profitez-en !

De sa télécommande, il baisse le son du téléviseur sans cesser de grommeler : il ne décolère pas. Le téléphone sonne. Il décroche.

GERMAIN – Inspecteur Germain… Ah, mes respects, monsieur le divisionnaire… Mais oui : je viens moi-même d'assister à la scène et… Bien, monsieur le… Tout de suite, monsieur le divisionnaire… Mes respects, monsieur le divisionnaire.

Il raccroche, et part aussitôt à la recherche de ses vêtements dispersés dans la pièce. Il enfile ses chaussures lorsqu'on sonne à sa porte avec insistance. Il s'énerve en laçant ses souliers.

GERMAIN – Voilà ! Une seconde ! J'arrive ! *(Il bougonne.)* Quelle soirée !

Il va ouvrir.

SCÈNE III

Logicielle lui fait face. Elle est essoufflée.

LOGICIELLE – Vous… Vous avez vu ?

GERMAIN – Vous tombez bien ! Oui, j'ai vu. Et je suis chargé de l'enquête. Vous n'aviez pas de projet particulier pour la soirée, Logicielle ?

LOGICIELLE – Moi ? Mais non : je m'apprêtais à regarder la pièce, comme vous.

GERMAIN – Eh bien je vous propose quelques heures supplémentaires, chère stagiaire. Nous allons participer au spectacle et achever la représentation sur place.

LOGICIELLE – Que voulez-vous dire ?

GERMAIN – Je vous emmène au théâtre, ce soir.

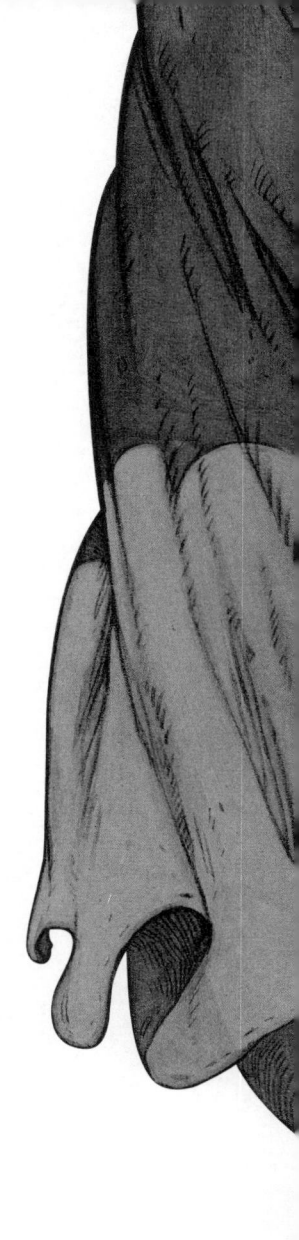

Acte II

Le Théâtre du Crime.

SCÈNE I

La salle est vide.

Sur la scène se trouvent Germain, Logicielle, deux gardiens de la paix, un photographe et deux médecins; l'un d'eux est penché sur le corps inerte de l'actrice toujours tourné face contre terre; le médecin se relève enfin en hochant la tête.

LÉGISTE – Aucun doute, le décès a été quasi instantané. Le poignard est d'une taille impressionnante et sa lame est enfoncée jusqu'à la garde, preuve de la violence avec laquelle le coup a été porté.

GERMAIN – Il fallait donc une certaine force physique pour frapper ainsi la victime ?

LÉGISTE – Sans doute. Mais ne me faites pas dire que seul un homme très costaud a pu en être capable !

Germain se penche à son tour sur le corps. Il saisit délicatement le mouchoir que l'actrice tenait dans sa main gauche.

LOGICIELLE, *chuchotant* – Vous avez remarqué la main droite de l'actrice ?

GERMAIN – Oui. Elle a le poing fermé. Je me demande... *(Se tournant vers le photographe.)* Vous pouvez reprendre un cliché?

Le photographe s'exécute : il tourne autour du cadavre et son flash crépite à deux ou trois reprises.

Germain écarte alors les doigts de la main fermée de l'actrice, et il récupère une petite clé plate qu'il examine attentivement à la lumière des projecteurs.

Puis il se tourne vers le second médecin qui, lui, porte une tenue de soirée.

GERMAIN – Et vous, docteur, vous n'avez touché à rien avant l'arrivée du médecin légiste?

MÉDECIN – Non. Dès que le directeur du théâtre a demandé au public s'il y avait un médecin dans la salle, je me suis précipité sur la scène et le rideau est tombé derrière moi. Je me suis contenté de prendre le pouls de la victime et je n'ai pu que constater le décès. Lorsque je me suis relevé, le régisseur et le pompier de service étaient venus rejoindre sur le plateau le directeur et le metteur en scène. Mais j'ai veillé à ce que personne ne touche au corps jusqu'à l'arrivée de mon collègue.

GERMAIN, *avec un grand soupir* – Très bien. Je vous remercie tous deux pour votre précieuse collaboration.

Le médecin légiste et le docteur rejoignent la salle et s'éloignent. Le photographe reprend une photo. Germain s'adresse aux deux gardiens de la paix en faction.

GERMAIN – Pourriez-vous apporter une civière et faire venir le directeur du théâtre et le metteur en scène ?

SCÈNE II

Les gardiens de la paix s'éloignent et reviennent presque aussitôt avec deux hommes. Le premier, un individu d'allure distinguée, semble parfaitement calme ; le second est très agité, il n'a pas assez de ses deux mains pour exprimer son désarroi.

DIRECTEUR – Ah, monsieur l'inspecteur, c'est un drame épouvantable ! Qui aurait pu imaginer…

GERMAIN – Monsieur ?…

DIRECTEUR – Pierre-Aimé Bouchard, directeur de cette salle. Et voici mon ami René : René Brusses, l'auteur de la pièce, qui a aussi assuré sa mise en scène.

René Brusses, resté en retrait, se contente d'un léger signe de tête pour saluer Germain et Logicielle.

GERMAIN – Pouvez-vous reconnaître la victime, messieurs ?

Les gardiens de la paix soulèvent et tournent le visage de l'actrice vers le directeur et le metteur en scène.

DIRECTEUR, *joignant les mains dans une expression théâtrale désespérée* – C'est elle. C'est bien Matilda !

Le metteur en scène hausse les épaules. Il s'exprime sur un ton sec, un peu hautain.

AUTEUR – C'est Matilda, évidemment.

GERMAIN, *désignant le poignard dont la lame de couleur rouge émerge de la robe blanche* – Matilda « percée jusques au fond du cœur d'une atteinte imprévue aussi bien que mortelle… » Bien, merci, messieurs !

D'un signe, l'inspecteur demande aux gardiens de la paix d'emporter le corps. Pendant qu'ils s'éloignent et que Germain poursuit son interrogatoire, le photographe, avant de quitter les lieux à son tour, prend plusieurs clichés de l'empreinte du corps dessinée à la craie sur le sol.

GERMAIN – Pouvez-vous nous expliquer ce qui s'est passé ?

DIRECTEUR – C'est tout à fait invraisemblable ! Imaginez plutôt : lorsque Max Deguy, notre régisseur, a commencé à frapper les trois coups – côté cour, naturellement – Matilda est entrée en scène. René et moi étions également en coulisse, mais en face, côté jardin.

Logicielle se tourne sans bien comprendre vers les deux extrémités opposées de la scène.

GERMAIN – Le côté jardin, Logicielle, c'est à gauche quand on regarde la scène, et le côté cour, c'est à droite.

LOGICIELLE – Bigre, c'est aussi compliqué que tribord et bâbord sur un navire !

DIRECTEUR – Mais non, mademoiselle. Imaginez que vous êtes dans la salle et pensez à Jésus-Christ. Les initiales : J.-C. Jardin à gauche, cour à droite, vous saisissez ?

GERMAIN – Vous étiez avec René Brusses côté jardin lorsque vous avez vu Matilda entrer côté cour, c'est bien ça ?

DIRECTEUR – En effet. Le noir s'est progressivement fait… et lorsque le rideau s'est levé, nous avons aperçu – en même temps que le public – Matilda qui baignait dans son sang… C'est absolument affreux !

GERMAIN, *réfléchissant* – L'assassin n'a donc bénéficié que d'un laps de temps très court pour faire son coup ?

DIRECTEUR – Trois secondes ! Les trois secondes des trois derniers coups : pendant que la lumière baissait progressivement jusqu'au noir complet.

LOGICIELLE – Il fallait que le meurtrier sache parfaitement où se trouvait sa victime !

AUTEUR, *quelque peu méprisant* – Ce n'était guère difficile, mademoiselle : la pièce a été répétée des dizaines de fois. Au lever du rideau, Matilda devait en principe se tenir au centre de la scène, ici *(Il désigne sur le sol une petite croix peinte en rouge.)*, debout, immobile, occupée à feuilleter un magazine. Dès que la sonnerie du téléphone retentissait, elle se dirigeait vers le guéridon pour y déposer son journal et décrocher.

Tout en parlant, Germain se penche et ramasse le magazine en question qui gît froissé, à terre, à cinquante centimètres de la marque du corps tracée à la craie.

GERMAIN – Pourquoi dites-vous « en principe », monsieur Brusses ?

AUTEUR, *amer* – Parce que rien, cette année, ne s'est passé comme prévu : Loulou devait décrocher le rôle – c'est Matilda qui l'a obtenu. Elle aurait dû le connaître par cœur – mais elle a eu mille difficultés à l'apprendre, comme s'il ne l'intéressait pas.

DIRECTEUR – Elle s'en serait très bien tirée, René! C'était une grande professionnelle.

GERMAIN – Qui est Loulou?

AUTEUR – L'actrice qui joue le rôle de la mère de Matilda. *Meurtre en direct* est une pièce à trois personnages principaux, inspecteur : le jeune Alfredo et deux femmes – une mère et sa fille.

Germain feuillette le « magazine » et sourit.

GERMAIN – Allons, monsieur Bouchard, votre ami Brusses n'a pas tout à fait tort. Vous devez savoir, comme lui, ce que contient ce faux hebdomadaire?

DIRECTEUR – Bien entendu. C'est la brochure de la pièce.

AUTEUR, *sarcastique* – Une précaution indispensable, inspecteur! Figurez-vous que j'ai dû, au cours des répétitions, prévoir que Matilda aurait souvent ce magazine en main... Je vous laisse deviner pourquoi!

Arrivée près du guéridon, Logicielle ramasse une ficelle d'une trentaine de centimètres de long.

LOGICIELLE – Et cette corde, à quoi sert-elle?

DIRECTEUR, *soudain pâle* – Ce FIL. On dit « un fil », mademoiselle!

GERMAIN – Vous permettez Logicielle? Merci.

Germain saisit la ficelle et chuchote à l'oreille de Logicielle :

GERMAIN – Malheureuse! Ne prononcez jamais le mot « corde » dans un théâtre! Cela porte malheur!

AUTEUR – Ce fil? C'est encore une négligence de Julien, notre machiniste. Il a pour mission de passer sur scène avant le lever du rideau pour vérifier que tout est en place et que rien ne traîne.

DIRECTEUR – Il le fait toujours, René!

AUTEUR – Oui. En abandonnant habituellement son mégot sur la scène.

Germain met la corde dans sa poche. Il y trouve le mouchoir de Matilda, qu'il tend vers René Brusses.

GERMAIN – Puisque vous assurez la mise en scène, monsieur Brusses, vous devez savoir si Matilda avait à se servir de son mouchoir à l'acte I?

AUTEUR – Non, elle n'en avait pas besoin. Vous permettez?

René Brusses saisit le mouchoir, l'examine, le rend à Germain.

AUTEUR – Je pense qu'il lui appartenait : il porte ses initiales. En fait, rien ne lui interdisait d'avoir un mouchoir à la main.

Germain remet le mouchoir dans sa poche. Puis il se dirige vers les coulisses côté jardin, et il examine soigneusement le décor, qui représente l'intérieur d'un salon cossu.

GERMAIN – Dites-moi, ce décor n'a aucun praticable ? Cette porte par exemple ?

DIRECTEUR – Elle est factice, monsieur l'inspecteur. Le décor est en contreplaqué.

GERMAIN – Et cette fenêtre ?

Il se dirige vers elle – elle est également factice, peinte sur le bois. Germain frappe du poing contre la cloison, l'examine, réfléchit, avance... et aboutit à l'ouverture des coulisses côté cour.

GERMAIN – En somme, le meurtrier n'a pu venir poignarder Matilda qu'en pénétrant sur le plateau côté cour ?

DIRECTEUR – Ma foi, s'il s'était faufilé entre nous deux dans l'obscurité, il aurait fallu qu'il nous bouscule !

GERMAIN – Et qui se trouvait côté cour, au moment des trois coups ?

AUTEUR – Le régisseur, puisque son jeu d'orgues se trouve dans cette partie des coulisses, à deux mètres du plateau…

DIRECTEUR – … et le pompier de service, qui devait être en faction à quelques pas de là.

Germain se dirige côté cour pour examiner les lieux. Le passage des coulisses vers le plateau est aussi étroit que côté jardin : environ un mètre. Logicielle, qui suit Germain, chuchote à son oreille.

LOGICIELLE – Au moins, voilà qui réduit le nombre des suspects !

GERMAIN, *se tournant vers les gardiens de la paix* – Pouvez-vous faire venir le régisseur et le pompier, s'il vous plaît ?

DIRECTEUR, *scandalisé* – Vous ne songez tout de même pas qu'ils auraient pu… ? C'est tout à fait impossible, monsieur l'inspecteur !

GERMAIN, *agacé* – Avez-vous tué Matilda, monsieur le directeur ? Non ? Parfait. Vous non plus, monsieur Brusses ?

AUTEUR, *avec une grimace ambiguë* – Parfois, en répétition, je vous avoue avoir eu quelques velléités de meurtre, inspecteur. Mais malgré toutes mes craintes concernant le bon déroulement et le succès de cette première, j'aurais préféré que Matilda assure cette représentation.

GERMAIN, *au bord de la colère* – Bien. Si vous niez tous deux l'avoir assassinée, vous me permettrez de porter mes soupçons sur ceux qui se trouvaient de l'autre côté des coulisses ? À moins que vous n'envisagiez l'hypothèse du suicide ?…

Pierre-Aimé Bouchard et René Brusses se contentent de baisser le nez.

GERMAIN – Le coupable pourrait aussi se trouver parmi les spectateurs ? Ce qui vous rendrait complice, monsieur le directeur, puisque vous avez fait évacuer la salle.

DIRECTEUR, *avec une mine renfrognée et déconfite* – Oh, elle s'est évacuée toute seule, inspecteur ! Je n'ai pas eu le temps de m'y opposer. Heureusement que je n'ai pas eu à rembourser le public, sinon je pouvais mettre définitivement la clé sous la porte !

AUTEUR, *désignant les fauteuils d'orchestre* – Ce soir, on n'entrait dans la salle que sur invitation : quelques officiels et pas mal de gens du monde de l'audiovisuel, notamment ceux de la première chaîne qui ont sponsorisé le spectacle.

DIRECTEUR – Eh oui, nous comptions beaucoup sur cette retransmission pour attirer le public dans les semaines à venir !

AUTEUR – Mais nous possédons la liste des six cents personnes à qui a été adressé un carton d'invitation. Si vous pensez que le coupable...

Germain va jusqu'au bord du plateau. Il observe le rideau levé et regarde la salle à présent déserte. Logicielle l'accompagne jusqu'à la frontière qui sépare acteurs et spectateurs.

LOGICIELLE, *chuchotant* – Un spectateur ?... C'est impossible Germain : le rideau était fermé !

GERMAIN, *songeur, s'adressant autant à sa stagiaire qu'à lui-même* – Le public joue lui aussi un rôle : il joue le rôle du public. Dans la salle, les spectateurs également sont en costume ; ils tiennent leur place et savent leur rôle : se taire, écouter, rire, applaudir... Acteurs et spectateurs ne peuvent exister les uns sans les autres. Ils réagissent en fonction les uns des autres. En fait, ils sont complices.

LOGICIELLE – Que voulez-vous dire ?

GERMAIN, *se tournant vers elle* – Que Matilda, en répétition, ne serait sans doute pas morte. Et qu'il s'agit là sans doute d'un meurtre « mis en scène ».

Scène III

Les gardiens de la paix introduisent sur scène le régisseur et le pompier. Le directeur et l'auteur font mine de s'éloigner. Mais l'inspecteur, d'un geste, les retient avant de se tourner vers les nouveaux arrivants.

GERMAIN – Monsieur Max Deguy ?

RÉGISSEUR – C'est moi, en effet.

Max Deguy est un homme âgé, fatigué, à l'expression bienveillante. Germain le prend par le bras et l'entraîne vers son jeu d'orgues, côté cour.

GERMAIN – Pourriez-vous nous raconter ce qui s'est passé juste avant le lever du rideau, monsieur Deguy ?

RÉGISSEUR – J'étais ici, à mon poste, en liaison téléphonique avec le réalisateur de la télévision. Matilda se trouvait à mes côtés, prête à entrer en scène, avec Montag, notre pompier de service.

Montag se dirige spontanément vers la place qui devait être la sienne à ce moment-là. C'est un garçon jeune, grand, dynamique, à l'allure décidée.

GERMAIN – Continuez, monsieur Deguy.

RÉGISSEUR – À 20 h 37, le réalisateur m'a donné le feu vert. Alors, j'ai dit « merde » à Matilda et…

LOGICIELLE, *stupéfaite et outrée* – Comment ?

RÉGISSEUR – Pardonnez-moi, mademoiselle, mais c'est la tradition.

AUTEUR – C'était même très aimable de votre part, Max.

RÉGISSEUR – J'ai saisi mon brigadier et j'ai commencé à frapper les trois coups.

POMPIER – Et moi, j'ai aussitôt poussé Matilda en scène, ainsi…

Montag place les deux mains en avant et fait mine de projeter sur le plateau un corps imaginaire.

LOGICIELLE – Vous l'avez « poussée » ? Mais pourquoi ?

Pierre-Aimé Bouchard soupire.

POMPIER – Parce que sans cela, Matilda ne serait jamais entrée en scène, mademoiselle ! Elle était morte de peur…

AUTEUR, *en aparté* – Elle avait de bonnes raisons de l'être !

GERMAIN – Rien d'étonnant, Logicielle : la plupart des acteurs redoutent d'entrer en scène. Quelques-uns font le signe de la croix. D'autres sont pris de panique parce qu'ils ont oublié leur porte-bonheur.

AUTEUR – Eh oui, mademoiselle, ils sont presque tous superstitieux. Tenez, Matilda nous a fait toute une comédie parce qu'elle refusait de porter une robe verte !

DIRECTEUR, *convaincu* – Mais voyons, René, vous savez bien que le vert porte malheur ! C'est vrai !

René Brusses se tourne vers Logicielle et Germain en haussant les épaules, avec une expression d'impuissance.

GERMAIN – Donc, monsieur Montag, vous l'avez poussée sur scène ? Vous en êtes certain ?

POMPIER – Pardi ! Je me souviens encore du bruit de ses talons hauts : Matilda a profité des dix ou quinze coups successifs du brigadier pour courir au centre du plateau, jusqu'à la petite croix peinte en rouge.

GERMAIN – Et vous êtes sûr qu'elle n'avait pas, à ce moment-là, de poignard planté dans le dos ?

POMPIER, *soudain blême* – Est-ce que... vous m'accusez, monsieur l'inspecteur ?

GERMAIN – Pas du tout, Montag. Mais comme vous êtes le dernier à avoir vu et même touché la victime, je me permets de vous demander si, par hasard, vous ne l'auriez pas poussée sur scène en lui plantant un couteau entre les omoplates, c'est tout. Je suppose que si vous l'aviez fait, vous vous en souviendriez, n'est-ce pas ?

RÉGISSEUR, *avec un sourire un peu triste* – Montag n'a assassiné personne, monsieur l'inspecteur. Lorsque j'ai frappé, lentement, les trois derniers coups, j'ai aperçu dans la lumière qui déclinait Matilda en place, au centre de la scène, son magazine en mains. Et elle n'avait pas de poignard dans le dos.

DIRECTEUR – Nous l'avons également vue dans cette position depuis les coulisses côté jardin, inspecteur. N'est-ce pas, René ?

GERMAIN – Et ensuite, monsieur Deguy ?

RÉGISSEUR – Une fois le dernier des trois coups frappé, j'ai posé mon brigadier et appuyé sur ce bouton, ici, qui commande le lever du rideau.

Germain et Logicielle examinent le jeu d'orgues, tableau éclairé par plusieurs veilleuses.

LOGICIELLE – Et les projecteurs ?

RÉGISSEUR – C'est l'électricien qui les a déclenchés, une fois le rideau levé. Il a son poste à trois mètres d'ici. Venez voir.

GERMAIN, *s'adressant aux gardiens de la paix toujours en faction* – Pouvez-vous faire venir l'électricien, s'il vous plaît ?

48

Germain, Logicielle et le régisseur pénètrent plus avant dans les coulisses.

Le poste de commande de l'électricien ressemble un peu à celui du régisseur, mais les boutons, manettes et curseurs permettant le réglage des lumières sont situés sur une sorte de schéma qui reproduit la scène du théâtre.

Au-dessus de ce tableau est suspendu un récepteur de télévision.

RÉGISSEUR – Grâce à cet écran de contrôle, Maurice, l'électricien, peut suivre l'action qui se déroule sur scène… Ah! le voici.

Scène IV

L'électricien, en salopette bleue, s'avance en traînant les pieds, visiblement peu passionné par la reconstitution. Il se contente de hocher la tête pour répondre aux questions qu'on lui pose.

GERMAIN – Vous étiez donc à cet endroit au moment du lever du rideau ? Et vous avez déclenché les projecteurs ? À quel moment précis ?

ÉLECTRICIEN – Regardez : cette lampe-témoin m'indique que le rideau se lève…

Régisseur, *l'interrompant* – Elle s'allume à l'instant où j'appuie sur le bouton qui commande le lever du rideau.

Électricien – Et elle passe au vert quand le rideau est entièrement levé. Aussitôt, je déclenche ces projecteurs, comme ça !

Il s'exécute. La scène s'illumine.
Germain et Logicielle s'y dirigent et s'arrêtent, en passant, dans l'étroit passage qui, côté cour, mène sur le plateau.
L'inspecteur s'adresse au régisseur et au pompier.

Germain – Bien entendu, vous jugez improbable que quelqu'un ait pu se faufiler dans l'obscurité entre vous deux ? Étiez-vous si attentif que cela pendant que vous frappiez les trois derniers coups, monsieur Deguy ? Car vous étiez tous deux dans l'obscurité pendant les trois secondes qui ont précédé l'illumination de la scène !

Régisseur – Regardez, monsieur l'inspecteur : ici, l'obscurité n'est jamais totale.

Pompier – Personne n'est passé par ici, inspecteur ! Je peux vous l'affirmer.

Logicielle, au centre de la scène, est occupée à dessiner un plan des lieux.

50

LOGICIELLE – Personne n'est passé côté cour ni côté jardin avant le crime mais l'assassin a forcément quitté la scène APRÈS son forfait.

Tous les protagonistes rejoignent, au centre du plateau, Logicielle qui examine le décor – une porte et une fenêtre factices, trois fauteuils et un guéridon. Le secrétaire n'est qu'un dessin en trompe-l'œil peint sur le bois.

DIRECTEUR – Que voulez-vous dire, mademoiselle ?

LOGICIELLE – Que le meurtrier se trouvait vraisemblablement sur le plateau AVANT le lever du rideau. Il a profité de l'obscurité pour poignarder Matilda, puis s'est enfui.

AUTEUR – Devant six cents spectateurs ? Quelle imprudence !

LOGICIELLE – Il a bien sûr attendu que le rideau soit retombé. Et il est reparti par le côté jardin, puisque la voie était libre : messieurs Bouchard et Brusses venaient de la dégager en se précipitant vers Matilda !

RÉGISSEUR – Si quelqu'un était sorti, Montag ou moi l'aurions vu, mademoiselle, puisque nous étions du côté opposé.

LOGICIELLE – Pouvez-vous l'affirmer ? C'est Matilda que vous regardiez. Dans la précipitation qui a suivi, l'assassin a pu…

Pompier, *très affirmatif* – Nous l'aurions vu sortir. Personne n'a quitté la scène, mademoiselle.

Directeur – Pour que votre hypothèse soit plausible, il aurait fallu que le meurtrier ait pu trouver une cachette sur ce plateau. Et qu'il s'enfuie par un élément du décor !

Germain est précisément en train d'examiner le mobilier et les décors.

Germain – Avez-vous un décorateur ? Un accessoiriste ?

Directeur – Un machiniste, Julien, qui assure toutes ces fonctions. Ah, c'est un collaborateur fidèle de la maison, monsieur l'inspecteur.

Auteur, *sarcastique* – Oui... c'est surtout un fidèle du bar du théâtre.

Germain, *s'adressant aux gardiens de la paix* – Pouvez-vous le faire venir, s'il vous plaît ?

Germain désigne à Logicielle les tableaux, glaces et meubles peints sur le bois. Il parle sur le ton de la confidence.

Germain – Voyez-vous, le théâtre, c'est le monde de l'illusion, du truquage. Si le médecin légiste n'avait pas constaté la mort de Matilda, je m'attendrais presque à la voir arriver ici, sur scène, et nous montrer un de ces couteaux de théâtre dont la lame rentre dans le manche.

Elle rirait de sa bonne farce et saluerait le public… Eh bien que faites-vous donc avec votre plan des lieux, Logicielle ?

LOGICIELLE – Je réfléchis. Mais je travaille mal sur papier. Je vais mettre très vite tout ça en mémoire dans mon ordinateur.

SCÈNE V

Julien, le machiniste, se présente. Costaud, vêtu d'un jean et d'un tee-shirt, il semble sûr de lui et un rien agressif. Il a une trentaine d'années et roule volontiers des épaules.

GERMAIN – Monsieur Julien, ôtez-moi d'un doute : ce décor n'est pas d'une seule pièce ? Il est bien fait de plusieurs éléments assemblés ?

MACHINISTE – Parfaitement. Mais les sept montants indépendants ont été solidement vissés et reliés. Il n'y a aucun praticable : pas d'issue de secours possible si c'est ce que vous voulez savoir. Venez voir, et vérifiez vous-même !

Julien se dirige vers les montants ; il tente maladroitement de les soulever ou de les séparer. Ses efforts semblent vains.

AUTEUR – Allons, Julien, vous ne convaincrez personne : quand vous revenez du bar, vous n'êtes même pas en état de porter un tabouret !

Pendant ce temps, Logicielle fait le tour du décor pour en examiner l'envers.

GERMAIN, *à René Brusses* – Vous n'aviez pas prévu de changement de décor ?

AUTEUR – Avec Julien comme machiniste ? Vous n'y songez pas !

Logicielle réapparaît sur scène, elle hoche la tête.

LOGICIELLE – Impossible de passer en effet. Il n'y a même pas d'interstice par où l'on puisse voir la scène.

GERMAIN – Accessoirement, monsieur Julien, où étiez-vous donc au moment du lever du rideau ?

MACHINISTE – Au bar du théâtre.

AUTEUR, *faussement étonné* – Non ? Au bar ? Vous êtes sûr ?

MACHINISTE – Alfredo, Loulou et Jo, le barman, peuvent en témoigner : ils y étaient aussi.

GERMAIN – Alfredo et Loulou ?

AUTEUR – Les deux autres acteurs.

Logicielle prend des notes en hochant la tête.

Logicielle – Cela fait beaucoup de monde, tout ça.

Machiniste – Ouais… Mais ça réduit le nombre des suspects, non ?

Germain sort de sa poche la clé plate qu'il a trouvée dans la main de Matilda, et il la tend à bout de bras vers tous les membres du personnel.

Germain – Au fait, messieurs, vous devez savoir ce que Matilda était censée ouvrir avec cette clé dans la première scène de la pièce ?

Auteur – Elle n'avait rien à ouvrir, inspecteur. J'ignore à quoi correspond cette clé.

Germain – Celle de sa loge, peut-être ?

Directeur – Non. Les loges ont un simple verrou intérieur.

Germain – Quelqu'un a-t-il une idée ?

Le silence s'est fait. Tous les protagonistes se rapprochent de l'inspecteur pour examiner la clé de près.

Régisseur – Ma foi non. Je ne l'ai jamais vue.

Machiniste – On dirait une clé de valise ou de coffre. En tout cas, elle ne fait pas partie des accessoires.

Germain – Aucune idée, vraiment ? Merci.

Il remet la clé dans sa poche et se tourne vers les deux gardiens de la paix.

GERMAIN – Pourriez-vous faire venir Alfredo, Loulou ainsi que Jo, le barman ? Aviez-vous d'autres membres du personnel présents dans votre théâtre ce soir, monsieur Bouchard ?

DIRECTEUR – Paul, le souffleur, Annie, l'habilleuse, qui fait aussi office de coiffeuse et qui a confectionné les costumes. Quatre ouvreuses, qui n'ont pas quitté la salle. Et la caissière, qui était encore à son poste au moment du lever du rideau. Sans parler de tout le personnel de la télévision, qui n'a jamais pénétré sur le plateau puisque toutes les caméras se trouvaient dans la salle.

SCÈNE VI

Arrive sur scène Jo, un grand gaillard dégingandé à la moustache en guidon de vélo et aux longs favoris. Le suivent un jeune homme en costume de scène et une femme qu'un maquillage habile rend plus âgée et plus laide qu'elle ne doit l'être en réalité. Ils semblent aussi timides l'un que l'autre et se tiennent par la main, comme pour se donner mutuellement de l'assurance. Avant de s'adresser à eux, Germain ordonne aux gardiens de la paix :

GERMAIN – Pourrez-vous aussi me trouver l'habilleuse ? Merci. Madame, messieurs, vous étiez donc au bar avec Julien au moment du lever du rideau ?

JO – En effet, monsieur l'inspecteur. Dès 20 heures, je suis en place. Et je ne quitte mon comptoir qu'une demi-heure après l'entracte, vers 22 h 30. Julien me donne souvent un coup de main.

AUTEUR, *en aparté* – Oui, il déplace difficilement les décors, mais il lève volontiers le coude.

GERMAIN, *s'adressant au couple* – Et vous étiez tous deux au bar au moment du lever du rideau ? Pardonnez-moi... Mais vous jouez bien dans la pièce, n'est-ce pas ? Que faisiez-vous au bar au lieu de vous trouver dans les coulisses ?

ALFREDO – Lorsque le rideau se lève, inspecteur, Matilda est seule en scène. Elle a, au téléphone, une conversation d'un quart d'heure avec moi *(Il sourit.)* mais il s'agit évidemment d'un monologue ! Ma présence n'est pas nécessaire. Puis Matilda est interrompue par l'arrivée de sa mère, c'est-à-dire de Loulou.

LOULOU – Alfredo lui-même n'arrive qu'au deuxième acte, une bonne demi-heure plus tard. Nous n'avons donc aucune raison de nous trouver dans les coulisses au moment du lever du rideau.

RÉGISSEUR – C'est moi qui préviens Loulou grâce à cette sonnette qui retentit au bar et dans les loges. Oh, il n'y a jamais de problème avec les acteurs : ils sont toujours en coulisse quelques minutes avant leur entrée en scène.

ALFREDO – Au bar comme dans les loges, un téléviseur nous permet de suivre ce qui se déroule sur scène. Ainsi, où que nous soyons, nous savons où en est l'action de la pièce.

GERMAIN – Donc, ni mademoiselle Loulou ni vous-même, Alfredo, n'avez quitté le bar jusqu'à ce qu'on vienne vous avertir du meurtre ?

JO – Si, juste avant le lever du rideau, Loulou a dû filer aux toilettes, comme d'habitude !

Germain se tourne vers la jeune femme.

GERMAIN – Le trac ?

MACHINISTE – La trouille, vous voulez dire ! Nausées, colique, et tout le fourbi ! Ah, elle est émotive, la petite Loulou. Si encore elle acceptait un petit cognac avant d'entrer en scène…

GERMAIN – Et vous-même, Alfredo, vous êtes resté au bar ?

MACHINISTE, *toujours aussi gai* – Lui ? Il l'a suivie comme son ombre aux toilettes ! Alfredo est épouvanté quand il voit son amie malade. Ah, ce sont deux petites natures...

ALFREDO, *un peu vexé, très digne* – Je suis allé dans ma loge lui chercher un cachet. Et je l'ai rejointe aux toilettes, en effet.

GERMAIN – Vous avez rencontré quelqu'un ?

SCÈNE VII

Une petite dame âgée tout en gris a rejoint le groupe sur la scène. Elle a sur les lèvres un sourire perpétuel.

ANNIE – Moi, monsieur l'inspecteur, j'ai croisé Alfredo dans le couloir qui mène aux coulisses, au moment où je quittais la loge de Matilda. Je l'avais habillée et coiffée quelques minutes auparavant.

GERMAIN – Et cela se situait au moment du lever du rideau ?

ALFREDO, *il hausse les épaules* – À une ou deux minutes près.

Jo – Lorsque le commentateur de la télé a annoncé le spectacle, et que le générique a commencé à défiler sur l'écran, je me souviens avoir vu la petite Loulou pâlir sous son maquillage! Ils se sont éclipsés tous les deux et le rideau s'est levé une minute après. N'est-ce pas, Julien?

JULIEN – Oui. Une minute... Peut-être deux!

Songeur, Germain revient au centre de la scène. Il parle comme pour lui-même en examinant les décors, puis il lève tout à coup les yeux vers les cintres et fait signe à l'électricien, au pompier et au machiniste de s'approcher de lui.

GERMAIN – Comment accède-t-on aux cintres?

MACHINISTE – Par une échelle métallique, dans les coulisses bien sûr.

GERMAIN – Vous pouvez me montrer?

Montag, le pompier, entraîne l'inspecteur derrière les décors. Depuis la scène où est resté le personnel, on entend le bruit de pas résonnant sur des barreaux de métal. Chacun suit des yeux la progression de Germain.

LOGICIELLE, *criant, le nez levé* – Vous n'avez pas le vertige, Germain? Cela fait bien sept ou huit mètres de haut!

AUTEUR – Des indices, inspecteur?

MACHINISTE – Ça m'étonnerait ! Il n'y a là-haut que les poulies qui déclenchent le lever et le baisser du rideau.

Germain redescend et réapparaît sur la scène.

LOGICIELLE – Vous croyez que le meurtrier aurait pu agir depuis les cintres ?

GERMAIN, *secouant la tête* – Peu probable : dans l'obscurité, en quelques secondes…

Il avise tout à coup le trou du souffleur, dont l'ouverture donne directement sur le plateau.

LOGICIELLE, *chuchotant* – Le souffleur ! Vous pensez qu'il aurait pu ?…

GERMAIN, *s'adressant au régisseur* – Pourriez-vous faire descendre le rideau, monsieur Deguy ?

Le régisseur va à son jeu d'orgues et s'exécute. Dans un froissement d'étoffes, l'épais rideau de velours rouge tombe des cintres en quelques secondes et sépare désormais le groupe : seuls Logicielle, Germain et le directeur sont devant le rideau, côté salle, sur cette frange étroite d'un mètre de large où saille légèrement le trou du souffleur. Logicielle examine le rideau et elle y aperçoit, à hauteur de son visage, un orifice de la taille d'une pièce de monnaie dans lequel elle glisse son index.

GERMAIN – C'est l'œilleton. Il permet de voir ce qui se passe dans la salle depuis le plateau quand le rideau est fermé.

Germain s'accroupit et pénètre – difficilement, les pieds en avant – dans le trou du souffleur, où n'apparaît plus que son visage.

LOGICIELLE – On imagine mal comment le souffleur aurait pu agir avec le rideau fermé face à lui !

GERMAIN, *criant* – Pouvez-vous lever le rideau, monsieur Deguy ?

Presque aussitôt, le rideau se lève, et Germain essaie en même temps de sortir du trou – mais en vain.

LOGICIELLE, *penchée vers le visage de l'inspecteur* – En somme Germain, vous imaginez que le souffleur aurait pu, entre le moment où le rideau commence à se lever et celui où les projecteurs illuminent la scène, bondir hors de son trou, poignarder Matilda… et rejoindre son poste ?

GERMAIN – Je n'imagine pas, Logicielle ; j'envisage toutes les solutions possibles, car il y en a bien une, n'est-ce pas ? Mais celle-ci n'est pas la plus vraisemblable. À moins que…

LOGICIELLE, *se penchant vers le trou* – Eh, Germain ! Où allez-vous ?

Au bout de quelques secondes, une trappe se lève brusquement au centre de la scène, au milieu du groupe dont les membres s'égaillent aussitôt. Et Germain apparaît, comme un diable sort d'une boîte. Il achève de se dégager de l'orifice pour rejoindre le plateau ; puis il désigne la trappe ouverte au directeur.

GERMAIN – Vous m'aviez caché ceci, monsieur Bouchard.

DIRECTEUR – Ce sont les dessous, inspecteur.

AUTEUR – Eh oui ! Il arrive qu'un personnage doive jaillir en scène, le plus souvent de façon magique : au milieu d'une nuée de fumée par exemple.

GERMAIN – Je sais. Mais j'ignorais que dans votre salle, les dessous communiquaient avec le trou du souffleur ! Voilà qui modifie les données... *(Aux gardiens de la paix.)* Pouvez-vous faire venir le souffleur ? Comment s'appelle-t-il ?

DIRECTEUR – Paul. Paul Bert.

Les gardiens de la paix s'éloignent. Sur scène, le personnel s'est dispersé par petits groupes : Bouchard et Brusses, inséparables, discutent en agitant les mains ; régisseur, pompier, électricien et machiniste se communiquent leurs soupçons en lorgnant du côté de l'auteur et du directeur ;

Alfredo et Loulou se tiennent par la main sans rien dire, observés avec attendrissement par le barman et l'habilleuse restés en retrait.

Germain et Logicielle échangent leurs impressions à voix basse.

LOGICIELLE – Vous soupçonnez le souffleur ? Mais comment aurait-il fait ?

GERMAIN – Comme ceci.

Sous le regard attentif du personnel qui cesse de palabrer, Germain s'approche de la trappe laissée ouverte ; il descend quelques marches et, avant de la laisser retomber sur lui, il commente à l'intention de sa stagiaire la reconstitution qu'il exécute.

GERMAIN – Regardez : la trappe est fermée *(Il l'abaisse, disparaît dans le sous-sol, sa voix arrive étouffée.)* et le souffleur entend le premier des trois derniers coups. Alors il sait que l'obscurité est quasi totale et il jaillit silencieusement sur scène pour commettre son forfait...

Mais Germain ne jaillit pas « silencieusement » : malgré sa hâte et ses efforts, il s'extirpe avec difficulté hors de la trappe, qu'il laisse bruyamment retomber. Puis il se jette sur Logicielle qui se tient, montre en main, immobile à deux pas de lui ; il fait mine de la poignarder, se précipite vers l'ouverture, descend les marches tout en cherchant des mains la trappe qu'il agrippe et referme sur lui, dans un fracas qui résonne jusqu'au premier balcon de la salle!

GERMAIN – ... et disparaître quand la lumière se fait!

SCÈNE VIII

Pendant la fin de cette reconstitution, les deux gardiens de la paix sont réapparus avec le souffleur. Paul Bert est un homme d'un certain âge qui se déplace avec difficulté en portant devant lui une bedaine impressionnante. Germain n'a pas vu le nouvel arrivant qui ressort par la trappe.

Logicielle consulte sa montre qu'elle a gardée tendue à bout de bras.

LOGICIELLE – Dix-huit secondes, inspecteur.

GERMAIN, *essoufflé, et s'époussetant de la main* – Qui sait? Avec beaucoup d'entraînement, et en admettant que le souffleur soit un jeune homme très agile...

Il se retourne et aperçoit Paul Bert.

GERMAIN, *dépité* – Ah, voilà qui résout la question.

SOUFFLEUR – Vous vouliez me voir, inspecteur?

GERMAIN – Mais oui, monsieur Bert. Et cela me suffit, merci.

SOUFFLEUR – Vous ne m'interrogez pas ?

GERMAIN, *parlant très vite, agacé* – À quoi bon ? Je suppose qu'au moment du lever du rideau, vous étiez dans votre trou, la brochure de la pièce à la main, et que, lorsque les projecteurs ont illuminé la scène, vous avez été stupéfait d'apercevoir Matilda baignant dans son sang deux mètres devant vous ?

SOUFFLEUR – En effet. Je...

GERMAIN – Vous n'avez rien remarqué dans les sous-sols à ce moment-là ? Vous n'avez pas aperçu une silhouette se glissant dans les dessous ? Ni entendu un bruit suspect sur scène ?

SOUFFLEUR – Non. Je...

GERMAIN – Eh bien voilà, je vous remercie, monsieur Bert. Ah, si, tenez... *(Il sort de sa poche la clé plate.)* Connaissez-vous cette clé ? Venez aussi la voir, mademoiselle Loulou, madame Annie, et vous aussi, Jo et Alfredo.

Ils s'approchent tous les cinq et examinent la clé. Puis ils relèvent la tête avec une expression navrée.

SOUFFLEUR – Désolé, inspecteur. Nous n'avons jamais vu cette clé.

GERMAIN, *faussement satisfait* – Eh bien je vous remercie pour votre fructueuse collaboration ! Rassurez-vous, monsieur Bert, vous êtes hors de cause. Nous vous ferons grâce d'une reconstitution.

Quelques rires discrets jaillissent.

GERMAIN, *sec, s'adressant au groupe* – Je constate avec soulagement que la mort de votre camarade Matilda ne vous affecte pas trop ?

Silence penaud. La plupart des membres du personnel baissent la tête. Germain les observe et murmure, sur un ton théâtral :

GERMAIN – « Que de gens assemblés ! Je ne jette mes regards sur personne qui ne me donne des soupçons… »

DIRECTEUR – Allons inspecteur, c'est ridicule ! Le meurtrier…

GERMAIN, *désignant le groupe, toujours théâtral* – « N'est-il point caché là, parmi vous ? Ils me regardent tous et se mettent à rire. Vous verrez qu'ils ont part, sans doute… »

DIRECTEUR, *fâché* – Ah mais je ne vous permets pas, inspecteur !

GERMAIN – Que dites-vous ? Ce n'est donc personne ? Personne n'a tué Matilda ? C'est très gentil à vous de défendre votre personnel, monsieur Bouchard.

MACHINISTE – Moi je peux bien vous l'avouer, monsieur l'inspecteur : Matilda, personne ne va la pleurer ! C'était une garce…

DIRECTEUR – Julien, je vous en prie ! Un peu de tenue !

MACHINISTE – … et à votre place, je me méfierais de tous ceux qui vous affirmeraient le contraire.

DIRECTEUR – Julien !

MACHINISTE, *sur sa lancée, de plus en plus hargneux* – Votre enquête ? Avec moi, elle serait vite bouclée, inspecteur ! Vous cherchez encore qui a pu faire le coup ? C'est pourtant simple ! Regardez.

Julien se rend au centre de la scène et désigne, alternativement, les deux extrémités des coulisses.

MACHINISTE – Côté cour, beaucoup de monde : Max et Montag, et plus loin, Maurice, l'électricien. Tous des braves gens, monsieur l'inspecteur. Incapables du moindre mauvais coup. Tandis que côté jardin se trouvaient Bouchard et Brusses, deux copains comme cochons, deux vieilles connaissances *(Il hurle à présent.)*… deux crapules, deux complices !

DIRECTEUR, *suffoquant d'indignation* – Julien ! Mais je ne vous permets pas !... Ma parole, vous avez bu ?

AUTEUR, *calme, très pince-sans-rire, presque indifférent* – Non ? Il a bu ? Vous croyez ?

MACHINISTE – Oh vous, espèce de plumitif charognard...

Julien se précipite vers René Brusses – mais il est aussitôt maîtrisé par les gardiens de la paix qui s'interposent et le retiennent. Germain observe la scène en hochant la tête, aussi intéressé qu'amusé.

Enfin calmé, Julien se dégage de l'étreinte des policiers. Il roule des épaules et des yeux furibonds en grommelant. Germain se rapproche de Logicielle pour parler discrètement avec elle.

GERMAIN – Voyez-vous, Logicielle, ce genre de règlement de comptes en apprend souvent davantage que les meilleures déductions.

LOGICIELLE – Vous croyez que Bouchard ou Brusses auraient pu ?...

GERMAIN – Je crois que faute de pouvoir identifier le coupable, nous devrons essayer de deviner ses mobiles. Et sans doute remuer beaucoup de vase.

MACHINISTE, *de loin* – Vous ne les arrêtez pas ? Vous ne me croyez pas, n'est-ce pas, inspecteur ?

GERMAIN – Ce ne sont pas vos ennemis qui m'intéressent, Julien. Ce sont ceux de Matilda…

Songeur, Germain les dévisage tous un par un. Puis il conclut en hochant la tête :

GERMAIN – Et d'après ce que je comprends, Matilda n'avait que des ennemis…

AUTEUR, *dans un ricanement dédaigneux –* Non ! Elle avait un ami, inspecteur. Un drôle d'individu.

Comme personne ne réagit, René Brusses écarte les mains en prenant tout le personnel à témoin.

AUTEUR – À quoi bon le dissimuler ? L'inspecteur Germain finira bien par le savoir !

GERMAIN – Eh bien, qui était l'ami de Matilda ?

Le pompier et le régisseur se tournent très brièvement vers Alfredo, qui rougit.

DIRECTEUR – Un certain monsieur de Saint Gilles. Mais il est hors de cause, inspecteur : il se trouvait sans doute dans la salle pour la représentation, Matilda a assez insisté pour que je lui adresse une invitation ! Un fauteuil d'orchestre, et au premier rang, s'il vous plaît !

GERMAIN – Nous verrons tout cela demain. Et je convoquerai ce monsieur de Saint Gilles dans mon bureau, comme la plupart d'entre vous. C'est pourquoi je vous demande à tous de rester à la disposition de la police. Vous serez interrogés séparément. Personne ici n'envisage de voyage, de week-end prolongé ?

DIRECTEUR, *scandalisé* – Mais il n'en est pas question, inspecteur ! Nous jouons demain soir ! À moins que vous ne vous opposiez aux représentations de la pièce ?

GERMAIN – Je ne m'oppose à rien, monsieur Bouchard. Mais je ne sais pas comment vous trouverez le moyen de remplacer Matilda au pied levé. Elle tenait bien le rôle principal, n'est-ce pas ?

AUTEUR – Pour ça oui. Elle avait assez intrigué pour l'obtenir !

DIRECTEUR, *tout à coup très sec* – René, ces soupçons sont ridicules, et cette accusation injustifiée. Matilda méritait ce rôle. Souvenez-vous du triomphe qu'elle a obtenu l'an dernier ! Elle a été remarquable…

AUTEUR – Certes. Pendant les cent premières représentations. Mais après l'accident, elle s'est effondrée. Et elle n'a jamais pu remonter la pente. Lui confier à présent ce premier rôle écrasant, c'était de la folie, Pierre-Aimé !

GERMAIN – Quel accident ? Quel rôle ?

Brusses et Bouchard se consultent en sou-pirant tandis que le personnel, visiblement gêné, baisse la tête. Bouchard consulte sa montre.

DIRECTEUR – C'est une vieille histoire, monsieur l'inspecteur. Et il est bien tard pour vous la raconter. Mais s'il le faut...

GERMAIN – Non. Nous verrons cela demain, en effet. Pour ce soir, je me contenterai de lire votre pièce.

AUTEUR, *visiblement ravi et flatté* – Mais avec plaisir, monsieur l'inspecteur ! Nous allons vous trouver une brochure. Paul, vous avez la vôtre ?

GERMAIN, *au souffleur, qui lui tend la bro-chure* – Donnez-la à ma collaboratrice, mon-sieur Bert. Je garde le... « magazine » de Matilda. Et je vous souhaite à tous une bonne nuit.

Tous les protagonistes, à l'exception de Germain et de Logicielle, quittent un à un la scène en adressant un bref signe de tête à l'ins-pecteur et à sa stagiaire.

Scène IX

Tandis que Logicielle consulte ses notes, Germain observe la scène et la salle.

GERMAIN – Alors, quelles sont vos déductions, Logicielle ?

LOGICIELLE – Elles sont maigres. Lorsque Matilda a été poignardée...

GERMAIN, *il déclame face au public absent –* « C'était pendant l'horreur d'une profonde nuit... »

LOGICIELLE – Oui, l'obscurité s'est faite. Brusses et Bouchard sont alors ensemble côté jardin. Ils ne remarquent rien.

GERMAIN – À moins qu'ils ne soient complices et ne mentent.

LOGICIELLE – Le régisseur, le pompier et l'électricien se trouvent en face, côté cour, à deux mètres les uns des autres.

GERMAIN – Et à six mètres de la future victime !

LOGICIELLE – Mais trois complices, cela commence à faire beaucoup, Germain, non ? Dans la salle, ou plutôt « de l'autre côté du rideau fermé », le souffleur et ce monsieur de Saint Gilles...

GERMAIN – Sans compter six cents spectateurs et le personnel technique de la télévision !

LOGICIELLE – Restent les communs du théâtre : le bar et les toilettes, deux lieux qui par ailleurs sont aussi bien accessibles au public qu'aux acteurs.

GERMAIN – Mais aucun spectateur n'est entré dans les coulisses avant le lever du rideau : il aurait dû passer par le bar, et Jo ou Julien, le machiniste, l'aurait remarqué.

LOGICIELLE – Jo et Julien semblent d'ailleurs hors de cause puisqu'ils sont restés ensemble au bar !

GERMAIN – À moins qu'ils ne soient complices et ne mentent.

LOGICIELLE – Alfredo et Loulou ont quitté le bar juste avant le lever du rideau, et ils se sont même séparés puisque Alfredo est allé dans sa loge tandis que Loulou restait aux toilettes.

GERMAIN – L'un ou l'autre ment peut-être… à moins qu'ils ne mentent tous deux !

LOGICIELLE, *souriant* – En tout cas, ils s'aiment. Cela se voit comme le nez au milieu de la figure. Et s'ils mentent, il sera difficile d'extorquer de chacun d'eux une version différente !

GERMAIN, *réfléchissant toujours* – Car l'un d'entre eux aurait pu rejoindre les coulisses…

LOGICIELLE – ... De même qu'Annie, l'habilleuse, restée seule dans la loge de Matilda! Mais comment l'un de ces trois suspects aurait-il pu pénétrer sur scène? Qu'en pensez-vous, Germain?

GERMAIN – Je pense que quelqu'un dissimule une petite vérité et qu'il se fait ainsi le complice du meurtrier.

LOGICIELLE – Qu'allez-vous faire?

GERMAIN – Fouiller dans la vie de Matilda afin de découvrir qui avait intérêt à la tuer. Et pour cela, avant même d'interroger ceux qui l'ont fréquentée, je vais demander une commission rogatoire qui me permettra de perquisitionner à son domicile. Dès ce soir, on ne sait jamais.

Il sort de sa poche la fameuse clé plate.

GERMAIN – Car je ne serais pas étonné que cet objet soit la clé du mystère : un mystère caché dans un tiroir ou un placard appartenant à la victime. Qui sait si Matilda, avant de mourir, n'a pas désigné en quelque sorte son agresseur au moyen de cette clé?

Germain parcourt la scène à pas lents, allant du trou du souffleur à l'inscription à la craie qui marque les contours du corps de Matilda, puis allant de cette inscription au jeu d'orgues du régisseur.

GERMAIN – « Il faut, qui que ce soit qui ait fait le coup, qu'avec beaucoup de soin on ait épié l'heure… »

LOGICIELLE – Décidément Germain, il était écrit que votre soirée serait gâchée !

GERMAIN – Gâchée ? Mais pas du tout ! *(Désignant la salle.)* Au lieu de regarder ce spectacle à la télévision, nous sommes sur place ! Et, par surcroît, sur scène.

LOGICIELLE – Hélas, il faudrait un coup de théâtre pour conclure !

GERMAIN – Mais le spectacle n'est pas fini, Logicielle : nous allons simplement changer de décor.

Solennellement, Germain va jusqu'au jeu d'orgues du régisseur, et il déclenche la fermeture du

RIDEAU.

LE THÉÂTRE DU CRIME

(plan et position des personnages au moment des « trois coups »)

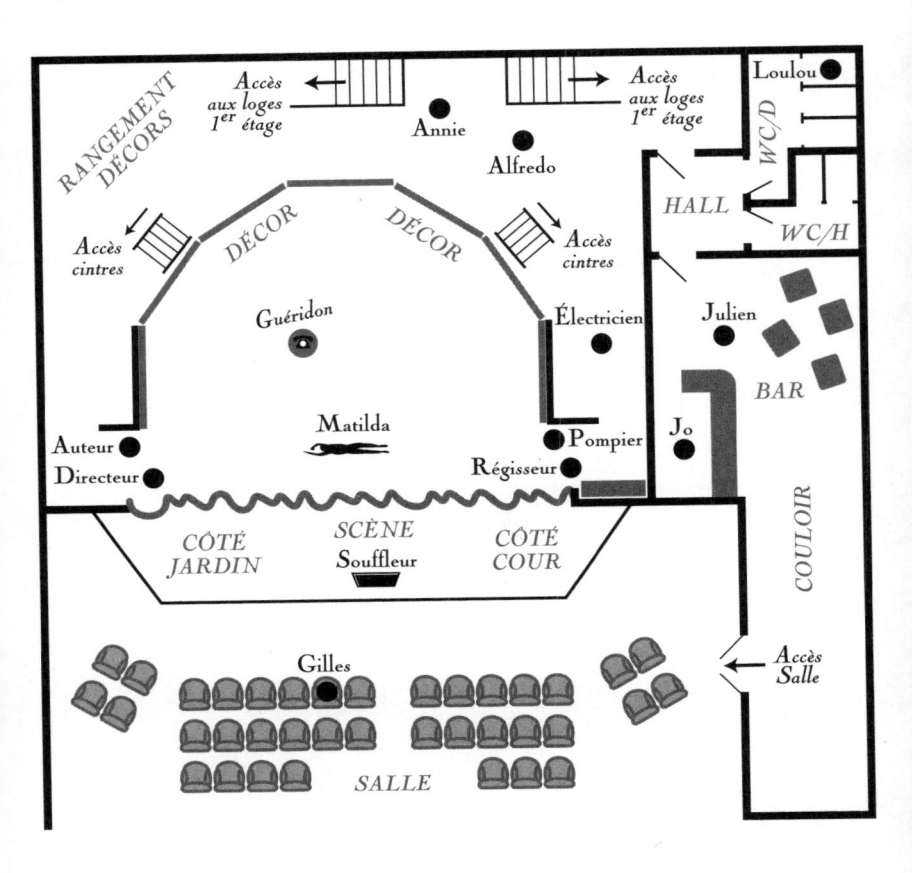

Acte III

Au commissariat.

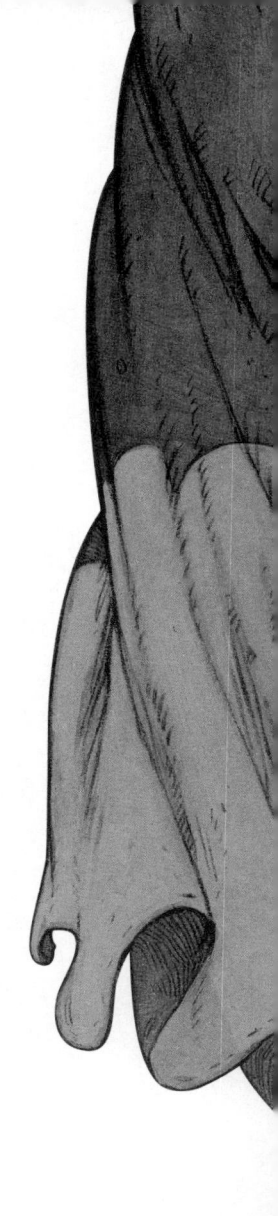

Au commissariat, dans le bureau de Germain.

Derrière les parois en verre dépoli, on perçoit le brouhaha des gens et des agents qui vont et viennent, le crépitement des machines à écrire, la rumeur de la rue. Le local de Germain comporte, outre un grand bureau encombré de dossiers, une armoire, des classeurs, deux chaises et un « coin informatique » dans lequel se trouvent un ordinateur, un écran, un téléviseur, un magnétoscope...

SCÈNE I

Germain est seul; il parle au téléphone tout en consultant plusieurs dossiers posés face à lui. Il semble contrarié.

GERMAIN – Comment cela, complet? Vous êtes sûre, mademoiselle? Eh bien tant pis, retenez-moi deux places pour demain soir, toujours à l'orchestre, si possible... Quoi? *(On frappe à la porte vitrée.)* Entrez! *(Au téléphone.)* Bon eh bien tant pis, merci mademoiselle!

Furieux, Germain raccroche au moment où Logicielle entre, chargée de plusieurs quotidiens, d'un dossier et de la brochure de la pièce.

GERMAIN – Incroyable ! Je voulais retenir deux places pour *Meurtre en direct*, dont les représentations continuent – je me demande d'ailleurs par quel miracle ! Et vous savez ce que je viens d'apprendre en téléphonant au théâtre ? Qu'on affiche COMPLET jusqu'à la fin du mois ! Est-ce que vous vous rendez compte, Logicielle ? Comment expliquez-vous ça ?

LOGICIELLE – C'est simple Germain : voilà l'explication !

Elle pose sur le bureau de Germain la presse du jour. Les titres rivalisent d'horreur et de sensationnel : MEURTRE EN DIRECT ! UNE PIÈCE MAUDITE ! LE THÉÂTRE DU CRIME ! UN ASSASSINAT EN DIRECT ! UNE SOIRÉE SANGLANTE... QUI A TUÉ MATILDA ?

Pendant que Germain parcourt les articles en maugréant, Logicielle étale sur le bureau quelques feuilles imprimées.

LOGICIELLE – C'était très gentil à vous de vouloir m'emmener voir la pièce, Germain, mais ça ne sera pas nécessaire : je l'ai lue cette nuit et...

GERMAIN, *désignant sa propre brochure sur le bureau* – Vous aussi ? *(Il affiche un petit air satisfait.)* Mais vous n'avez sans doute pas remarqué la similitude avec une affaire précédente ?

LOGICIELLE, *ironique* – Mais si, monsieur l'inspecteur ! Vous voulez parler de l'accident qui a fait une victime l'an dernier au cours de la représentation de *Je n'ai pas tué mon frère*?

GERMAIN, *intrigué, presque impressionné* – Ma parole… vous suivez les affaires policières avec tant de passion?

LOGICIELLE – Si ce n'était pas le cas, Germain, je ne serais pas entrée dans la police. Mais l'explication est ailleurs : depuis quelque temps, je résume chaque affaire sur mon ordinateur. Tenez, voici une copie sur disquette. Vous permettez?

Logicielle glisse la disquette dans le micro-ordinateur qui se trouve près du bureau. Elle pianote sur les touches en expliquant.

LOGICIELLE – Dans l'affaire de *Meurtre en direct*, j'ai choisi quelques « mots-clés » comme poignard, clé, théâtre, actrice… et j'ai appelé ces mots dans les fichiers concernant les affaires qui ont précédé et que j'avais mises en mémoire. Aussitôt est apparu le dossier relatif au meurtre d'Edmond Joyeux.

On frappe à la porte du bureau. Un gardien de la paix passe la tête, l'air interrogatif.

POLICIER 1 – Le directeur du théâtre est là, patron. Vous savez, pour l'interrogatoire.

GERMAIN – Ah oui, merci. Faites-le entrer!

Scène II

Le gardien de la paix s'efface pour laisser entrer Pierre-Aimé Bouchard... qu'accompagne René Brusses. L'auteur tente de parlementer avec le policier pour se glisser lui aussi dans le bureau.

Directeur – Bonjour inspecteur, bonjour mademoiselle.

Germain – En fait, messieurs, je vous avais convoqués séparément.

Directeur, *s'adressant à son ami Brusses* – Je vous l'avais bien dit qu'il voudrait nous voir l'un après l'autre !

Auteur – Très bien, inspecteur. J'attendrai Pierre-Aimé à l'extérieur.

Germain – Non, restez au contraire. Après tout, vous êtes en cause tous les deux.

Ils pâlissent, se consultent du regard, inquiets, tandis que la porte se referme discrètement.

Directeur – En cause ? Mais je ne vois pas...

Auteur – Expliquez-vous, monsieur l'inspecteur.

Germain désigne les journaux du matin aux deux hommes.

GERMAIN – Jolie publicité, n'est-ce pas ?

DIRECTEUR – Oh, je m'en serais bien passé, inspecteur !

LOGICIELLE – Il semblerait qu'elle arrange vos affaires…

GERMAIN – … et qu'elle remplisse votre salle ! Figurez-vous que j'avais l'intention d'emmener ma collègue voir votre pièce ce soir. J'ai appris que vous affichiez complet jusqu'à la fin du mois !

DIRECTEUR – Il est vrai… Il est vrai que nous avons été débordés par les demandes. Forcément, des millions de téléspectateurs ont assisté à ce meurtre et…

GERMAIN – Et quelques milliers, poussés par une curiosité malsaine et morbide, se sont précipités sur leur téléphone ou leur ordinateur et ils ont réservé une place. Qui sait ? Peut-être y aura-t-il un vrai meurtre, en direct, à chaque représentation ?

AUTEUR, *ironique* – Quoi de répréhensible à cela, inspecteur ? Vous-même, ne vouliez-vous pas voir la pièce ce soir ?

GERMAIN – Pour des raisons sans doute différentes, monsieur Brusses ! Pour une fois que nous avons affaire à des… professionnels de la reconstitution !

DIRECTEUR – Mais vous auriez dû me joindre directement, inspecteur! *(Il fouille dans sa poche intérieure.)* Je vais me faire un plaisir de vous offrir deux fauteuils d'orchestre pour ce soir.

GERMAIN – Dites-moi messieurs, ne trouvez-vous pas qu'il s'agit là d'un moyen efficace pour remplir une salle?

DIRECTEUR, *outré* – Oseriez-vous insinuer?… Mais comment pouvez-vous imaginer que nous aurions pu?… Quelle horreur!

GERMAIN – Une horreur que vous affectionnez, monsieur Bouchard : vous avez appelé votre théâtre le Théâtre du Crime.

DIRECTEUR, *haussant les épaules* – Mais comment vouliez-vous que nous l'appelions? Notre troupe n'y représente que des pièces policières!

GERMAIN – Et la rue dans laquelle se trouve votre salle?

DIRECTEUR – La rue des Martyrs? Mais… C'est un hasard, inspecteur! Ce quartier de Montmartre est très prisé par le public, il y existe déjà le Théâtre des Deux-Ânes, le Théâtre du Tertre…

GERMAIN – Les hasards se multiplient, monsieur Bouchard. Toutes les pièces que vous représentez sont écrites par votre ami René Brusses.

Auteur – En effet. Nous sommes liés par un contrat tout à fait légal.

Logicielle, *elle tend vers les deux hommes quelques feuillets imprimés* – Vous êtes aussi liés dans la malchance, le hasard et le crime, messieurs Brusses et Bouchard, car l'an dernier, votre spectacle a été, si j'ose dire, le théâtre d'un autre meurtre.

Directeur, *très embarrassé* – C'était un accident ! D'ailleurs l'enquête...

Germain – Oui, elle a abouti à un non-lieu. Mais il se pourrait bien que le dossier soit rouvert. D'ailleurs, c'est ce que je fais !

Ostensiblement, Germain ouvre un dossier et lit.

Germain – « Le 16 octobre dernier, au cours d'une représentation de la pièce *Je n'ai pas tué mon frère,* de René Brusses *(Il relève la tête vers l'auteur en souriant.)* au Théâtre du Crime de la rue des Martyrs, à Paris *(Il relève à nouveau la tête, toujours en souriant, mais vers Pierre-Aimé Bouchard cette fois.),* l'acteur Edmond Joyeux a été tué d'une balle en pleine poitrine par sa partenaire Matilda. » *(Il relève la tête et prend un air faussement étonné.)* Tiens, Matilda était déjà là ? *(Cette fois, il ne sourit plus, et continue de lire.)* « Ce meurtre était d'ailleurs, dans la pièce, le sujet principal du drame. Bien entendu, c'est une balle à blanc que devait contenir le revolver qu'utilisait ordinairement Matilda depuis un mois. Mais ce soir-là, une main criminelle a placé une balle réelle dans le barillet du revolver. Edmond Joyeux est mort sur le coup, et Matilda, qui était l'amie d'Edmond, n'a pu, en raison de son état dépressif, assurer la suite des représentations dont le succès fut plus vif encore que le mois précédent... » *(Il relève la tête vers les deux hommes.)* Ah messieurs, l'histoire se répète, je le sais bien, mais avouez tout de même que la coïncidence est troublante !

DIRECTEUR – C'était réellement un accident, inspecteur. Julien, l'accessoiriste qui a chargé le revolver, a été lui-même épouvanté. Il s'est accusé, mais seulement de négligence.

AUTEUR, *comme pour lui-même* – Il n'avait peut-être pas assez bu ce soir-là !

GERMAIN, *frappant de la main le dossier* – Je sais. Il affirme ignorer qui, ce soir-là, a substitué à son insu des balles réelles aux balles à blanc. Vous conviendrez donc qu'il y a bel et bien eu tentative de meurtre. Et meurtre accompli.

DIRECTEUR, *avec emphase* – Quel drame ! C'était...

Germain, *sec* – C'était épouvantable, je n'en doute pas. J'imagine aussi l'angoisse de Matilda quand elle a compris qu'elle était la première suspecte ! Car l'an dernier, quelqu'un a non seulement voulu supprimer l'ami de Matilda, mais aussi mettre l'actrice en cause. L'accuser. La faire emprisonner. L'éliminer.

Logicielle, *comme pour elle-même* – Cette année, il semblerait bien qu'on y soit parvenu.

Germain – Qui a remplacé Edmond Joyeux après le meurtre… enfin : disons après « l'accident » qui lui a coûté la vie ?

Directeur – Alfredo. Nous l'avons engagé la semaine suivante.

Germain – Et qui remplacera Matilda ce soir et les soirs suivants ?

Auteur – Loulou. Elle connaît le rôle par cœur.

Germain – Mais qui remplacera Loulou ?

Auteur, *il lève la main, évasif* – Dix candidates se sont présentées ce matin ! Nous en avons retenu trois, qui apprennent le texte à leurs risques et périls. Nous faisons une audition à midi, et nous choisirons vite ! Le rôle que tenait Loulou, celui de la mère de l'héroïne, est le moins important des trois.

GERMAIN, *désignant la brochure* – Après le rappel de cette affaire précédente, vous comprendrez, monsieur Brusses, que j'aie été très intéressé par le sujet de votre pièce *Meurtre en direct*.

Silence embarrassé. Puis Germain ajoute d'une traite, sans mâcher ses mots :

GERMAIN – Car le sujet de cette nouvelle pièce est directement inspiré du meurtre précédent ! *Meurtre en direct* raconte comment une femme tue son ami avec un revolver qu'elle croit chargé à blanc ! Votre pièce est l'enquête policière qui a réellement eu lieu après ce crime survenu sur scène le 16 octobre dernier !

Les deux hommes baissent la tête, à court d'arguments.

AUTEUR – Écoutez, inspecteur, un écrivain est un pirate : il s'inspire de tout, notamment de l'actualité. Vous ne pouvez pas m'accuser d'avoir utilisé ce drame pour...

GERMAIN – Ces drames, monsieur Brusses, surviennent toujours fort à propos pour alimenter votre imagination défaillante ! Je comprends à présent pourquoi Julien vous a courtoisement traité de... comment a-t-il dit ? « plumitif charognard » ? *(S'adressant au directeur.)* Et vous avouerez, monsieur Bouchard, que ces drames, comme vous dites, remplissent opportunément votre salle ! Ah je comprends que vous soyez tous deux très « liés » !

On frappe à la porte du bureau. Deux gardiens de la paix se présentent, au garde-à-vous.

POLICIER 1 – Un cambrioleur pris sur le fait, patron.

GERMAIN, *irrité de cette interruption* – Ça ne peut pas attendre ?

POLICIER 2, *avec un regard gêné vers l'auteur et le directeur* – Ma foi… Ça risque de vous intéresser, patron.

GERMAIN, *vers les deux suspects* – Vous pouvez disposer, messieurs. *(Sévère.)* Mais nous sommes appelés à nous revoir bientôt.

DIRECTEUR – Sans doute. Eh bien… À plus tard, monsieur l'inspecteur.

Au moment où les deux hommes s'apprêtent à quitter la pièce, ils manquent se heurter aux deux gardiens de la paix qui amènent le prévenu, menottes aux poignets. L'auteur, le directeur et l'inconnu se dévisagent brièvement. Le suspect baisse la tête tandis que Brusses et Bouchard ne cachent pas leur stupéfaction.

DIRECTEUR, *se tournant alternativement vers l'inspecteur et le prévenu* – Mais... c'est monsieur de Saint Gilles ! C'est... c'était l'ami de Matilda, inspecteur.

AUTEUR, *souriant à Germain* – Je confirme, inspecteur. C'est Saint Gilles. Je ne suis pas étonné : ce type ne m'a jamais inspiré la moindre confiance. Préférez-vous que nous restions ?

GERMAIN, *quelque peu excédé* – Je préfère que vous nous laissiez seuls avec lui, merci. Si vous êtes à court d'idées pour vos pièces, monsieur Brusses, faites donc un tour dans le commissariat : pour les cambriolages, les crimes et les vols, vous aurez l'embarras du choix !

Les deux hommes quittent le bureau à regret.

SCÈNE III

Le prévenu, une trentaine d'années, a un physique d'artiste : grand, mince, élégant, cheveux longs et bouclés. Il est habillé d'un pantalon large, d'une veste claire et voyante. Il porte une lavallière.

GERMAIN, *contrarié, aux policiers* – Mais… Je croyais que vous perquisitionniez tous deux chez Matilda !

POLICIER 1 – Nous y étions, patron ! Mais l'appartement était déjà occupé par un individu qui arrachait les lames du parquet. Il a voulu fuir, nous l'avons appréhendé et nous avons achevé ce qu'il était en train de faire, c'est-à-dire retirer son butin d'une cachette. La prise n'est pas négligeable, patron : bijoux, argent… Vous vous souvenez du hold-up de la semaine dernière chez Sénéquier ? Le bijoutier va être content : il me semble que tout y est.

POLICIER 2 – De plus, un premier coup d'œil dans l'appartement a révélé que deux tableaux, dans la salle de séjour, font partie des quinze aquarelles du XIXᵉ siècle dérobées au musée Carnavalet cet été.

LOGICIELLE, *stupéfaite* – Ça alors ! Matilda aurait été… cambrioleuse ?

GERMAIN, *se tournant vers le prévenu* – C'est sans doute ce que va nous expliquer monsieur… *(Ironique.)* de Saint Gilles ? *(Aux deux gardiens de la paix.)* Merci, vous pouvez nous laisser.

Les policiers quittent le bureau après un bref signe du doigt à leur képi, mais ils manquent se heurter à un brigadier qui s'apprêtait à entrer.

Brigadier – Bonjour patron, bonjour mademoiselle. Notre invité a été vite identifié. Monsieur de Saint Gilles est une vieille connaissance ! Il figure dans nos fichiers sous une autre identité.

Le brigadier tend une feuille de papier dont Logicielle s'empare.

Brigadier – Et voilà ce qu'on a trouvé dans ses poches. Pour le reste, la perquisition chez Matilda est en cours.

Germain – Pourrez-vous aussi m'apporter tout ce que vous trouverez dans sa loge ?

Le brigadier pose sur la table un sac en plastique contenant de menus objets ; puis il quitte lui aussi le bureau, laissant Germain et Logicielle face au prévenu, assis devant eux menottes aux poignets. Germain lit à haute voix.

Germain – « Gilles Binchois, 32 ans, déjà condamné trois fois pour vol à la tire, usage de chéquiers volés, complicité dans un cambriolage… » *(Il relève la tête vers Gilles.)* Eh bien, vous voilà dans de méchants draps, monsieur de Saint Gilles.

Gilles, *affolé* – Je… Ce n'est pas moi, monsieur l'inspecteur !

Germain – Ce n'est pas vous qui avez dérobé les tableaux du musée Carnavalet qu'on a retrouvés chez Matilda ?

GILLES – Les tableaux, c'est... Je les avais en dépôt en quelque sorte, vous comprenez?

GERMAIN – Est-ce que ce n'est pas plutôt votre amie Matilda qui les avait en dépôt? Et les bijoux de chez Sénéquier? C'était un dépôt là aussi? C'est sans doute Matilda qui les avait dérobés?

GILLES, *comme frappé par l'ingéniosité de la suggestion de Germain* – Exactement! C'est Matilda! C'est Matilda qui les avait volés! Alors, quand j'ai appris qu'elle était morte... et puisque j'avais les clés de son appartement...

GERMAIN, *consultant un dossier* – L'ennui, cher monsieur Binchois, c'est que le vol du musée Carnavalet a eu lieu cet été, pendant une tournée du Théâtre du Crime; et que le hold-up chez Sénéquier date de dimanche dernier, à trois heures de l'après-midi. Hélas, Matilda était en scène à ce moment-là, monsieur Binchois. Et la vérité, la voilà : lorsque Matilda a découvert que vous n'étiez ni un petit saint, ni un grand de Saint Gilles, mais un simple malfrat, elle a été très déçue. Elle a voulu vous dénoncer. Et vous l'en avez empêchée.

GILLES – Moi? Mais... Pas du tout, monsieur l'inspecteur! Je ne sais pas ce que vous voulez dire.

GERMAIN, *examinant le contenu du sac en plastique* – Où étiez-vous donc hier soir, monsieur Gilles Binchois?

GILLES – Chez moi!

GERMAIN, *très calme* – Non. Vous étiez au Théâtre du Crime. Pour assister à la première de la pièce dont votre amie Matilda était la vedette. Elle a d'ailleurs beaucoup insisté pour que vous ayez une place de choix, à l'orchestre, au premier rang, mais si : monsieur Bouchard me l'a lui-même confirmé!

GILLES – Je... Oui, c'est vrai, mais j'ai égaré cette invitation. Et je ne suis pas allé au théâtre hier soir!

GERMAIN, *sortant du sac en plastique un carton d'invitation et le montrant à Gilles* – Égaré? Mais il a été trouvé dans vos poches! D'ailleurs, si vous n'avez pas été au théâtre, c'est très imprudent de votre part d'avoir déchiré ce carton à moitié! Car vous savez qu'à l'entrée d'une salle, l'ouvreuse déchire à son extrémité le billet de chaque spectateur. *(Il tend le carton sous le nez de Gilles et se met à crier, de plus en plus mécontent.)* Vous étiez même assis au fauteuil d'orchestre numéro A 7, monsieur de Saint Gilles! Vous nous prenez vraiment pour des imbéciles!

Prostré, Gilles s'effondre en hoquetant.

GERMAIN, *plus calme* – Et vous allez maintenant nous expliquer comment vous vous y êtes pris pour poignarder votre amie Matilda sur scène.

Gilles relève la tête. Il pleure, sanglote, bafouille, pris d'une épouvantable panique.

GILLES – Mais je n'ai pas tué Matilda, monsieur l'inspecteur ! Je… C'est vrai, tout ce que vous avez dit est vrai : j'étais au théâtre hier soir, au premier rang. Mais quand le rideau s'est levé, quand j'ai vu Matilda poignardée, je me suis affolé. J'ai pensé qu'il y aurait une enquête, et qu'il valait mieux que je ne sois pas au théâtre… Il aurait mieux valu que je n'y sois jamais allé ! J'ai quitté la salle et je me suis précipité chez Matilda pour emporter les tableaux à l'hôtel.

GERMAIN – Bon. Au moins vous n'avez pas trop perdu la tête. Car vous vous doutiez qu'on viendrait bientôt enquêter chez la victime. Au fait, Matilda n'était pas dupe : elle savait bien d'où provenaient ces tableaux, n'est-ce pas ?

GILLES – Elle ne voulait pas le savoir. Oh, elle a vite fini par se douter que je n'étais pas celui… celui qu'elle avait cru au départ. *(Soudain enflammé.)* Et j'aurais tout fait pour le devenir !

GERMAIN – Pardi! Vol de tableaux, hold-up, recel...

GILLES – J'aurais tout fait pour la garder, inspecteur. Alors, pourquoi est-ce que je l'aurais tuée?

LOGICIELLE, *à voix basse* – Parce qu'elle ne vous aimait plus?

GILLES, *amer* – Oh, je me demande si elle m'a jamais aimé. Elle aimait peut-être un peu celui... *(Il réfléchit.)* celui que je faisais semblant d'être. Ça ne pouvait pas durer.

GERMAIN – Ce que je comprends mal, c'est que vous n'ayez pas vidé d'un coup l'appartement de Matilda, hier, après le crime.

GILLES – C'est que... le concierge de l'hôtel a commencé à me regarder avec méfiance après mon deuxième voyage. Alors j'ai préféré attendre le lendemain matin pour venir chercher la suite.

GERMAIN – Mais on est entré dans l'appartement pour la perquisition. Et on vous a surpris à l'ouvrage. Quelle déveine!

GILLES – Je n'ai pas tué Matilda, inspecteur!

GERMAIN – Hélas, cher monsieur de Saint Gilles, vous êtes le suspect idéal! Dites-moi, vous étiez l'ami de Matilda depuis longtemps?

GILLES – Depuis un mois. Depuis… *(Sa mine s'assombrit ; il se remémore des souvenirs visiblement peu agréables.)* En fait, depuis sa rupture avec Alfredo !

LOGICIELLE, *étonnée* – Vous voulez dire qu'Alfredo a été l'ami de Matilda ? Et qu'elle a rompu avec lui ?

GILLES, *sarcastique* – C'est lui qui a rompu avec elle ! Matilda n'était pas du genre à se faire jeter, et elle en a drôlement voulu à Alfredo ! Mais sûrement moins qu'à Loulou : pensez donc, être supplantée par sa propre fille, quelle gifle ! Alors moi, vous comprenez, j'ai été choisi… en quelque sorte par dépit. *(Il grimace avant de hocher la tête, vaincu.)* Oui, c'est cela, par dépit !

LOGICIELLE – Attendez, monsieur Binchois : comment cela, « être supplantée par sa propre fille ? » Vous voulez dire que… Loulou serait la fille de Matilda ?

GILLES – Ma foi oui, ce n'est pas un secret ! *(Il se reprend très vite.)* Ah si, c'est un secret, au contraire ! Personne ne doit le savoir, elle voulait que tout le monde l'ignore au théâtre ! Mais j'imagine qu'Alfredo est au courant !

LOGICIELLE, *stupéfaite* – Je croyais que dans la pièce, Loulou jouait le rôle de la mère de Matilda ! Et Loulou serait en réalité sa fille ?

GERMAIN – Bah, avec un bon maquillage, cela ne pose pas de problèmes. Malgré ses quarante ans, Matilda pouvait sur scène en paraître vingt. Et Loulou, hier soir, faisait sans doute plus que son âge grâce à quelques rides appuyées d'un trait de crayon.

GILLES – Au départ, c'est Loulou qui avait été choisie par monsieur Brusses pour interpréter le rôle principal. Matilda a passé toute une nuit à convaincre sa fille de le lui abandonner. Et Loulou a fini par plier ! Matilda ne s'en serait pas remise, d'être reléguée au second plan !

GERMAIN – Et Brusses a accepté cette modification sans protester ?

GILLES, *avec un sourire amer* – C'est-à-dire que le lendemain, Matilda a persuadé le directeur de permuter les deux rôles. Et c'est le directeur qui a fini par imposer sa volonté.

LOGICIELLE – Incroyable… Que d'intrigues !

GERMAIN – Vous éclairez d'un jour nouveau notre enquête, cher monsieur de Saint Gilles.

GILLES – Oh, arrêtez de vous moquer de moi, monsieur l'inspecteur !

Germain se lève, va à la porte de son bureau, qu'il ouvre pour faire signe à un gardien de la paix.

GERMAIN – Vous pouvez reconduire le prévenu. Nous compléterons son interrogatoire plus tard.

GILLES, *protestant, tandis qu'on l'entraîne* – Inspecteur, il faut me croire !

SCÈNE IV

Au moment où Gilles quitte le bureau de Germain, encadré par deux gardiens de la paix, Brusses et Bouchard réapparaissent sur le seuil, intrigués par les cris du prévenu.

GILLES, *en voix off* – Ce n'est pas moi ! Ce n'est pas moi qui ai poignardé Matilda !

GERMAIN, *stupéfait et contrarié* – Qu'est-ce que vous faites encore ici ?

AUTEUR, *un petit carnet de notes en main* – Vous m'aviez bien proposé de visiter le commissariat pour glaner quelques idées, inspecteur ? Vous aviez raison ! (*Il tapote son carnet griffonné.*) C'est passionnant !

GERMAIN, *qui a du mal à se contenir* – Et vous, monsieur Bouchard ? Vous lui servez de garde du corps ?

DIRECTEUR, *tirant de sa poche intérieure deux cartons* – Les invitations pour ce soir, monsieur l'inspecteur... J'avais oublié de vous les donner! Les voici.

Il les pose sur le bureau. L'auteur désigne d'un air entendu la porte par laquelle viennent de sortir Gilles et ses gardiens.

AUTEUR – Alors, ça y est? Vous avez trouvé le coupable? Félicitations, inspecteur!

DIRECTEUR – Eh bien, nous sommes ravis que cette affaire soit classée!

AUTEUR – Vous vous rappelez, Pierre-Aimé? Il était au premier rang, hier soir! Nous aurions dû nous douter que...

GERMAIN – Messieurs!

Ils s'interrompent.

GERMAIN – Votre scène s'était achevée tout à l'heure. Et je juge votre improvisation actuelle très médiocre. Et superflue.

Germain leur désigne la porte. Résignés, ils sortent et la referment silencieusement derrière eux.

102

SCÈNE V

GERMAIN – Ces deux zèbres commencent à me taper sérieusement sur les nerfs !

Soudain, on frappe et la porte s'ouvre.

GERMAIN, *hors de lui* – Ah, non ! Ça suffit !

Apparaît un gardien de la paix, stupéfait par le mouvement d'humeur de Germain.

POLICIER 1 – Excusez-moi, patron. C'est pour la demande de mise en examen de Gilles Binchois.

GERMAIN – Tenez, pendant que vous êtes là…

Germain signe le papier que lui tend le gardien de la paix, puis il lui confie une clé et quelques instructions à voix basse. Pendant ce temps, Logicielle sort de sa poche une disquette qu'elle glisse dans l'ordinateur posé sur le bureau. Le gardien de la paix quitte la pièce. Germain, enjoué, se tourne vers sa stagiaire.

GERMAIN – Eh bien, Logicielle, n'avez-vous pas l'impression que nous tenons le coupable ?

LOGICIELLE – Pardonnez-moi Germain, mais je ne suis pas convaincue de la culpabilité de Gilles Binchois.

GERMAIN – Et pourquoi donc ?

LOGICIELLE – C'est un petit truand, mais sans doute pas un meurtrier. Et puis s'il avait voulu se débarrasser d'une amie encombrante, il l'aurait proprement trucidée chez elle, ce qui lui aurait donné tout le temps de déménager tableaux et bijoux en lieu sûr. Il n'aurait pas imaginé une telle... mise en scène pour un meurtre qui l'obligeait à revenir en catastrophe chez sa victime !

GERMAIN, *hochant la tête* – Bien vu, Logicielle. Comme vous, je ne suis pas certain que Gilles Binchois soit notre coupable. D'ailleurs, nous allons peut-être en avoir bientôt la preuve. Mais que m'avez-vous apporté ?

L'écran de l'ordinateur s'allume. Apparaissent en trois dimensions la scène et la salle du Théâtre du Crime, quelque peu schématisées.

LOGICIELLE – Un logiciel que j'ai mis au point cette nuit.

Germain désigne l'écran, qui montre des images dans lesquelles Logicielle semble se déplacer en manipulant la souris de l'ordinateur.

GERMAIN – Dites-moi, ce ne sont pas des photos ?

LOGICIELLE – Oh non, de simples images de synthèse, assez grossières. Mais voyez, elles me permettent de me déplacer fictivement dans le théâtre : ici, nous sommes dans les rangées de fauteuils d'orchestre, nous montons sur la scène, nous allons côté cour…

GERMAIN – Amusant. Mais je ne vois guère l'intérêt de ces images reconstituées puisque nous pouvons nous rendre sur place !

LOGICIELLE – Détrompez-vous. J'ai mis en mémoire tous les suspects, tous les lieux où ils se trouvaient, toutes les distances de la scène, des coulisses, des cintres, du jeu d'orgues, du trou du souffleur… Et j'ai demandé à l'ordinateur d'effectuer des calculs pour connaître le temps mis par le poignard pour effectuer le trajet de la main d'un meurtrier présumé jusqu'à la victime. J'ai bien entendu tenu compte du fait que Matilda a été vue debout et indemne lorsque les lumières ont commencé à s'éteindre, et vue poignardée lorsque les projecteurs se sont rallumés.

GERMAIN – Et quel est le résultat de ces savants calculs ?

LOGICIELLE, *pianotant sur les touches* – Deux secondes. Trois au maximum. Voilà le temps mis par le couteau pour atteindre sa victime. Or… *(Elle pianote à nouveau sur les touches.)* cela donne à un meurtrier éventuel, situé à huit mètres environ de Matilda, une célérité de trente kilomètres à l'heure ! Regardez, Germain : il fallait que l'assassin franchisse huit mètres pour aller à Matilda, et à nouveau huit mètres pour revenir, tout cela en deux ou trois secondes ! Même un recordman olympique n'aurait pu effectuer ce trajet.

GERMAIN – Qu'en déduit donc votre logiciel ?

LOGICIELLE, *pianotant sur les touches* – Que personne n'a eu le temps d'aller poignarder Matilda ; que le couteau a effectué seul le trajet.

GERMAIN – Vous voulez dire que… quelqu'un l'aurait « lancé » sur Matilda ?

LOGICIELLE – Oui. À moins que l'assassin n'ait imaginé et bricolé un ingénieux mécanisme : une catapulte automatique, commandée à distance, qu'il aurait dissimulée ou intégrée dans le décor, dans un meuble ou un accessoire.

Germain hoche la tête, fort intéressé.
On frappe à la porte du bureau.

SCÈNE VI

Deux gardiens de la paix entrent. L'un tient à la main une cassette vidéo, l'autre deux sacs : un petit, en plastique transparent, et un autre assez grand, qui semble lourd.

POLICIER 1 – C'est votre cassette, patron.

POLICIER 2 – Et voici le couteau qui a tué la victime. Et les objets trouvés dans sa loge.

GERMAIN – Merci, messieurs. Vous pouvez déposer tout cela.

Les deux hommes sortent. Germain, satisfait, examine les sacs transparents.

GERMAIN – Voilà du matériel bien classique ! Rien à voir avec votre informatique sophistiquée. Commençons par ceci...

Germain glisse la cassette dans le magnétoscope. Il allume le téléviseur. Des images défilent à l'envers en accéléré.

GERMAIN – Je vais vous faire une confidence, Logicielle : hier soir, j'avais envisagé l'éventualité que notre repas se prolonge un peu plus que prévu ; et comme je voulais absolument voir cette pièce...

LOGICIELLE – Vous aviez programmé son enregistrement !

L'image se stabilise sur le générique qui s'achève.

COMMENTATEUR, *voix off* – Pour la première de ce spectacle, la salle est comble, comme vous pouvez le constater...

La caméra balaie la salle d'un large travelling. Puis elle fixe le rideau immobile, sous lequel on distingue les silhouettes des spectateurs de l'orchestre. Germain pointe son doigt vers l'écran et appuie sur la touche « arrêt sur image ».

GERMAIN – Là ! Regardez, au premier rang, de dos, cette veste à grands carreaux, cette chevelure bouclée...

LOGICIELLE – Aucun doute : c'est Gilles Binchois !

GERMAIN – Voyons la suite.

Germain déclenche le défilement normal. Sur l'écran, la lumière se réduit insensiblement.

COMMENTATEUR, *voix off, chuchotant* – Et puisque vous n'avez pas la chance d'être parmi le public, au moins disposerez-vous de la meilleure place pour assister à cette représentation !

GERMAIN – Voyez Logicielle, au bas de l'image : on continue d'apercevoir la chevelure de Gilles Binchois en premier plan.

Le « noir » se fait progressivement tandis que retentit la cataracte caractéristique des « trois coups », qui s'achève sur trois chocs brefs. Logicielle chronomètre. On entend le froissement du rideau qui se lève. Des projecteurs éclairent alors le centre de la scène, où Matilda gît, face contre terre, un couteau planté dans le dos. Au bas de l'image apparaît toujours la même chevelure frisée.

GERMAIN – Gilles Binchois n'a pas bougé! Il n'a évidemment pas quitté sa place, il n'a pas menti. Ah… si! Le voilà qui se lève à présent.

Mais il n'est pas le seul. Et la caméra, après s'être attardée sur le dos de l'actrice dont la robe s'auréole à vue d'œil d'une tache de sang, revient vers la salle où quelques spectateurs se lèvent à leur tour. Germain arrête l'enregistrement et éclate de rire.

GERMAIN – Quand je dirai à Monsieur de Saint Gilles qu'il est disculpé grâce à mon propre enregistrement…

LOGICIELLE – Disculpé pour l'accusation de meurtre, Germain, car avec ses aveux concernant le cambriolage du musée et de la bijouterie, il risque d'en prendre pour quelques années!

GERMAIN – Oui. Et si cet enregistrement permet d'innocenter un suspect, il ne nous renseigne guère sur le coupable. Voyons donc ce couteau qui, selon vous, serait allé se planter tout seul dans le dos de sa victime…

Germain sort l'objet de son sac en plastique. Il parcourt le bref rapport qui l'accompagne.

GERMAIN – Aucune empreinte, évidemment. Vous avez vu ce poignard? Très curieux, vous ne trouvez pas?

Germain examine l'objet, le tourne et le retourne, le tend à Logicielle qui fait de même.

LOGICIELLE – Étrange, en effet. Ce n'est pas un couteau, c'est bel et bien un poignard – mais ce n'est pas un objet de collection : il est simple et assez récent. Et puis ce manche rouge… Oh, pardon !

Le poignard échappe des mains de Logicielle. Il se plante aux pieds de Germain qui émet un sifflement d'admiration.

GERMAIN – Il est bien équilibré, dites-moi !

LOGICIELLE – Je… je suis confuse.

Germain ramasse le poignard par le manche et le pose sur la table.

GERMAIN – Il n'y a pas de bobo. Voyons maintenant ce qui a été récupéré dans la loge de Matilda.

Germain sort du second sac des objets divers, qu'il examine et commente avant de les confier à sa stagiaire.

GERMAIN – Du maquillage, évidemment. Et des médicaments ! Calmants, somnifères… Tiens, de l'Ipeca ! Ça, c'est étonnant.

LOGICIELLE – Pourquoi ?

GERMAIN – Parce que si ces produits-là sont bien connus pour leurs effets calmants ou antidépressifs, l'Ipeca est un vomitif, qu'on emploie habituellement à la suite d'un empoisonnement.

LOGICIELLE – En effet, je ne vois pas le rapport. Matilda devait être souvent angoissée ?

GERMAIN – Ah, voilà son sac à main, ses papiers d'identité, des photos... Tiens, Matilda s'appelait en réalité Mathilde Goducheau, elle était née à Aulnay-sous-Bois il y a... quarante-deux ans. Regardez ce joli portrait de famille, Logicielle.

LOGICIELLE – On dirait deux jumelles ! Elles se tiennent bras dessus bras dessous et sont habillées de la même façon... Mais quelle tenue extravagante !

GERMAIN – Ce sont des habits de scène. Vous avez remarqué le chapiteau du cirque, en arrière-plan ?

Logicielle retourne la photo et lit :

LOGICIELLE – « Mathilde et Louise. Août 2003. Tournée Zingaro en Italie. » Une tournée... de cirque, vous croyez ?

GERMAIN – Le monde du spectacle est une grande famille, Logicielle. Mes parents ont été acteurs, mais pour survivre, ils ont aussi fait de la figuration au cinéma, du music-hall, de l'opérette. Avant-guerre, ils ont même travaillé au Grand Guignol.

LOGICIELLE – Qu'est-ce que c'est que ces rouleaux ?

GERMAIN – Encore des photos. Et des affiches de théâtre.

Germain les déroule une à une ; Logicielle et lui les commentent ensemble.

GERMAIN – Avez-vous remarqué comme les acteurs sont mégalomanes ? Dans leur loge, ils adorent s'entourer d'images d'eux-mêmes, comme si leur miroir de scène ne leur suffisait pas, comme si leurs multiples portraits épinglés sur les murs faisaient un rempart du passé face à l'angoisse des nouveaux rôles qui les attendent... Ah, « les étranges animaux à conduire que les comédiens » !

LOGICIELLE – *Panique aux urgences, Week-end mortel, Coupable idéal, Crime à tous les étages, Croisière en meurtre majeur...*

GERMAIN – Et toujours Matilda dans le rôle principal !

LOGICIELLE – Tiens, en voici une très différente.

GERMAIN – Oui. C'est une affiche du cirque Zingaro. Et là, on dirait un numéro de... Bon sang !

Germain et Logicielle semblent fascinés par l'affiche. Ils la détaillent en hochant la tête.

GERMAIN – Évidemment, c'était simple. Nous aurions dû nous en douter! À présent, tout s'éclaire. Enfin... presque tout.

LOGICIELLE – Vous voyez, Germain, que la théorie livrée par l'ordinateur n'était pas aussi stupide?

GERMAIN – Que feriez-vous maintenant si vous étiez à ma place?

LOGICIELLE – Je demanderais au juge d'instruction d'ordonner une nouvelle perquisition. Mais cette fois au domicile de mademoiselle Louise Goducheau, dite Loulou.

GERMAIN – Et ensuite?

LOGICIELLE – Je convoquerais au Théâtre du Crime tout le personnel, sans oublier le directeur du Lido, afin de reconstituer le meurtre de Matilda et de confondre son auteur.

GERMAIN – Eh bien allez-y, Logicielle, je vous laisse achever l'enquête!

LOGICIELLE – Vraiment? C'est très gentil à vous, Germain!

GERMAIN – À une condition toutefois : que vous m'acceptiez comme stagiaire.

LOGICIELLE, *riant* – Vous vous moquez de moi?

GERMAIN, *très sérieux* – Oui. Je vous tends peut-être un piège.

LOGICIELLE, *réfléchissant, puis décrétant, sûre d'elle* – En ce cas, Germain, laissez-moi y tomber. Laissez-moi aller jusqu'au bout.

GERMAIN – Pourquoi pas ? Après tout, m'avoir confié une stagiaire comme vous, c'était aussi un piège.

LOGICIELLE – Que voulez-vous dire ?

GERMAIN – Que je suis un trop vieux renard pour m'y laisser prendre.

Il lui serre la main. Un peu décontenancée, Logicielle quitte le bureau et laisse l'inspecteur seul. Celui-ci déroule complètement l'affiche, et il la punaise sur le mur de son bureau avant de quitter le local à son tour.

Ne reste plus sur scène que le décor avec, au centre, l'affiche.

Elle représente deux femmes en collant noir, masquées avec un loup. L'une d'elles, trois quarts face, semble plaquée contre un panneau de bois clair, jambes et bras écartés. La seconde, trois quarts dos, s'apprête à lancer un poignard vers sa comparse qui se trouve à dix pas d'elle. De grosses lettres annoncent, en tête de l'affiche :

LOU ET LOULOU,
LES LANCEUSES DE COUTEAUX
MASQUÉES.

En bas, collé transversalement sur l'affiche, un bandeau imprimé précise :

CE SOIR, AU LIDO, À 21 H.

Tel un flash-back sonore surgit le bruit mat d'un couteau qui se fiche brutalement dans le bois, aussitôt suivi d'un « Oooh » admiratif et angoissé du public. Cinq, six, sept chocs se succèdent ainsi, toujours ponctués d'exclamations inquiètes et stupéfaites face à l'exploit. Enfin, au douzième et dernier lancer, des applaudissements frénétiques crépitent.

LE RIDEAU TOMBE.

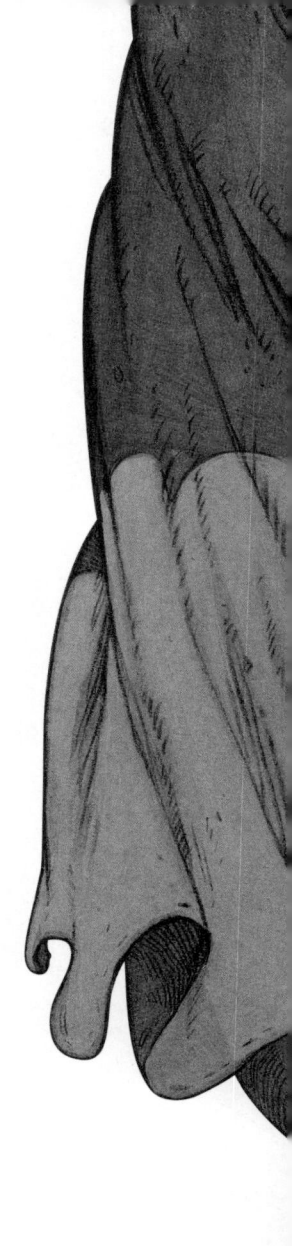

Acte IV

Le Théâtre du Crime.

SCÈNE I

Les mêmes applaudissements de la fin de l'acte III semblent cette fois saluer le lever du rideau. Mais c'est en fait un rappel : le rideau se lève et s'abaisse plusieurs fois sur les trois protagonistes de la pièce Meurtre en direct *qui saluent sous les projecteurs : Loulou, Alfredo et une actrice inconnue plus âgée. Devant l'insistance du public surgissent côté jardin René Brusses et Pierre-Aimé Bouchard. Souriants, radieux, ils vont se joindre aux acteurs en les tenant par la main.*

Les applaudissements s'apaisent, le rideau ne se relève plus, et l'on entend le brouhaha caractéristique du public qui quitte la salle en commentant la pièce.

Trois personnes cependant restent assises au premier rang : Germain, Logicielle, et un individu en smoking, M. Blanc, le directeur du Lido. Tous trois se lèvent enfin à leur tour.

GERMAIN, *criant assez fort* – Vous pouvez lever le rideau, monsieur Deguy ?

Le rideau se lève.

Réapparaissent sur scène, un à un, Loulou et Alfredo, la nouvelle actrice, le directeur et l'auteur. Ils ne sourient plus du tout.

GERMAIN – Bien. Venez donc tous sur scène, messieurs le régisseur, le pompier, l'électricien, le souffleur… et vous, Julien.

Ils arrivent sur le plateau et s'ajoutent aux personnages précédents. Deux gardiens de la paix apparaissent alors l'un côté cour, l'autre côté jardin, comme pour prévenir toute velléité de fuite. C'est à l'un d'eux que Germain s'adresse.

GERMAIN – Allez donc aussi me chercher Annie, l'habilleuse, et Jo, le barman. Ils ne seront pas de trop pour cette reconstitution… Car c'est bien pour une reconstitution que je vous ai demandé, il y a deux heures, de nous accorder quelques instants après le spectacle.

Tous ceux qui se tiennent sur scène, immobiles, ont le visage grave et attentif : ils sont à présent les spectateurs d'un numéro inédit dont Germain et Logicielle, à l'orchestre, semblent devenus les deux metteurs en scène.

GERMAIN – Mais avant de commencer, je tiens à vous adresser, à titre personnel, toutes mes félicitations pour ce spectacle : bien que le sujet de cette pièce rappelle à certains d'entre nous une actualité récente – ou peut-être à cause de cela – j'y ai pris beaucoup de plaisir… J'ai même si bien participé à l'action que par moments, je croyais assister à… comment appelle-t-on ce genre de reconstitution, à la télévision ?

120

LOGICIELLE – Un « reality show ».

DIRECTEUR DU LIDO, *assez cérémonieux* – Je m'associe aux félicitations de l'inspecteur Germain : c'était excellent.

GERMAIN, *se tournant vers son voisin* – Je vous présente monsieur Antoine Blanc, le directeur de ce grand music-hall que vous connaissez tous : le Lido. Sa présence était indispensable ici ce soir. Par contre, madame, la vôtre ne l'est pas nécessairement… Oui, vous.

L'actrice qui interprétait le rôle de la mère de l'héroïne se désigne elle-même, interrogative.

GERMAIN – Vous pouvez retourner vous changer dans votre loge et nous laisser. Bon, je crois que nous sommes à présent au complet.

SCÈNE II

La nouvelle actrice quitte la scène, tandis qu'entrent, escortés par les gardiens de la paix, Jo et Annie.

GERMAIN – Et je laisse la parole à ma stagiaire !

Logicielle se tourne vers l'un des policiers, aux pieds duquel se trouve une jolie petite mallette en bois.

LOGICIELLE – Pouvez-vous m'apporter cette valise ? Merci.

Logicielle s'empare de la mallette, et elle l'ouvre au moyen d'une petite clé plate qu'elle tend ensuite à bout de bras.

LOGICIELLE – Finalement, nous avons trouvé ce qui pouvait être ouvert par la clé que Matilda tenait dans sa main fermée : c'est cette petite valise. Elle a été découverte il y a trois heures au domicile de Loulou – je veux dire, chez mademoiselle Louise Goducheau, la fille de Matilda.

Sur scène, Loulou pâlit sous son maquillage. Elle manque défaillir mais est soutenue par Alfredo, qui l'entoure de ses bras. Logicielle se tourne vers Pierre-Aimé Bouchard.

LOGICIELLE – Car Louise est la fille de Matilda. Le saviez-vous, monsieur le directeur ?

DIRECTEUR, *embarrassé* – Eh bien, le bruit a couru en effet que Matilda aurait été... Mais quelle importance ? Vous savez, un directeur de troupe doit se tenir en dehors des affaires de cœur ou de famille, sinon nous ne devrions pas séparer les couples, par exemple. Et quand j'engage un acteur ou une actrice, je n'engage ni son ami, ni son conjoint, et encore moins ses enfants !

LOGICIELLE – Pourtant, vous avez engagé la mère et la fille ?

AUTEUR – Elles se ressemblaient, inspecteur. On aurait cru deux sœurs. Ça, c'est très utile, au théâtre.

DIRECTEUR, *haussant les épaules* – Ce qui est utile, ce sont les acteurs qui ont du talent. Et du talent, elles en avaient !

AUTEUR – C'est vrai. Surtout quand elles se donnaient la réplique !

LOGICIELLE – Saviez-vous où travaillaient auparavant Mathilde et Louise Goducheau, monsieur Bouchard ?

DIRECTEUR, *désignant l'homme en smoking, aux fauteuils d'orchestre* – Au Lido. C'est d'ailleurs Antoine Blanc, un vieil ami, qui me les a envoyées pour une audition il y a quelque temps.

LOGICIELLE – Et saviez-vous, monsieur Bouchard, quel genre de numéro Louise et Matilda avaient mis au point avant qu'elles ne fassent partie de votre troupe ?

DIRECTEUR, *haussant les épaules* – Non. Elles étaient comédiennes, elles avaient monté un spectacle ou plutôt, comme on dit dans le music-hall, un show. Elles cherchaient un emploi fixe, nous avions besoin de deux actrices. Elles ont fait l'affaire, tout simplement. Matilda était d'ailleurs excellente !

AUTEUR – C'est exact. Jusqu'à la mort d'Edmond Joyeux. Mais par la suite, son talent n'a fait que décliner, Pierre-Aimé. C'est ce que vous n'avez jamais réussi à admettre.

GERMAIN, *à part, songeur* – Peut-être est-ce la mort d'Edmond Joyeux, que Matilda n'a jamais réussi à admettre ?

AUTEUR, *très affirmatif* – Et le talent de Loulou s'est peu à peu révélé !

DIRECTEUR – Ne soyez pas injuste, René. Pour ma part, j'ai toujours apprécié les qualités de ces deux femmes. Si vous les aviez vues sur scène, mademoiselle... Elles formaient un duo extraordinaire.

Loulou s'est rapprochée d'Alfredo dont le regard, de plus en plus dur et froid, ne quitte pas Logicielle. Celle-ci déroule l'affiche trouvée dans la loge de Matilda.

LOGICIELLE – Un duo. C'est le mot. Car la mère et la fille prétendaient être deux sœurs dans le numéro où elles se produisaient au Lido.

Sur scène, des exclamations d'incrédulité témoignent de la surprise des membres du personnel du théâtre. Ni Loulou ni Alfredo ne marquent la moindre réaction.

LOGICIELLE – Pouvez-vous nous expliquer ce que vous savez, monsieur Blanc ?

DIRECTEUR DU LIDO – C'est simple. Quand j'ai engagé Lou et Loulou… je veux dire Mathilde et Louise Goducheau, elles se produisaient avec leur numéro de lanceuses de couteaux entre un imitateur et un illusionniste. Et je dois dire que la maîtrise de Loulou était impressionnante !

LOULOU, *calme, déterminée, presque sèche* – La maîtrise de Lou, monsieur Blanc. De ma mère. Moi, je n'ai jamais su lancer les couteaux !

DIRECTEUR DU LIDO, *hésitant, se tournant alternativement vers Loulou et Logicielle* – Pardonnez-moi mais… après tout, avec le recul, je ne peux rien affirmer ! Ces deux femmes se ressemblaient tant ! Elles avaient la même silhouette, la même démarche. Leur succès venait aussi de cette confusion qu'elles cultivaient avec soin.

LOGICIELLE – C'est important, monsieur Blanc. Est-ce Loulou qui lançait les couteaux ?

DIRECTEUR DU LIDO, *dévisageant Loulou, hésitant* – Je ne sais plus ! Trop de temps a coulé. Et puis Lou et Loulou étaient toujours masquées, elles portaient…

LOGICIELLE *se tournant vers Loulou* – … un loup ! L'ennui, mademoiselle Goducheau, c'est que l'on vient de découvrir cette mallette à votre domicile, et non à celui de votre mère. Regardez cette valise, vous la reconnaissez ?

Logicielle l'ouvre. Chacun se penche pour voir. La mallette contient onze couteaux semblables à celui qui a tué Matilda. Le compartiment du dernier poignard est vide. Loulou n'a qu'un bref regard vers l'objet. Sa mâchoire se crispe.

LOULOU – Oui, c'est la mallette de notre numéro. Mais c'est ma mère qui l'avait chez elle. Je ne comprends pas pourquoi vous l'avez trouvée chez moi.

MACHINISTE, *scandalisé* – Attendez, mademoiselle. Vous prétendez que Loulou aurait… poignardé sa mère ?

DIRECTEUR, *intrigué* – Je ne vois pas comment elle aurait pu s'y prendre ! Vous oubliez que nous étions dans les coulisses côté jardin, René et moi, à un mètre à peine l'un de l'autre.

RÉGISSEUR – Et que je me trouvais côté cour avec Montag, le pompier !

ÉLECTRICIEN – N'oubliez pas non plus que le noir s'est fait au moment du meurtre ! Je ne vois pas comment Loulou aurait pu atteindre son but en visant ainsi, au jugé, dans l'obscurité.

LOGICIELLE – Contrairement à ce que Loulou prétend, c'est elle qui lançait les couteaux. Des couteaux qu'elle savait également lancer les yeux bandés, n'est-ce pas, monsieur Blanc ?

Directeur du Lido – En effet. À la fin de leur numéro, Lou mettait un bandeau noir sur le visage de sa sœur… je veux dire de sa fille.

Loulou – C'était moi qui bandais les yeux de ma mère ! Et d'ailleurs le bandeau était truqué !

Auteur, *s'adressant à Logicielle, très intéressé* – Expliquez-nous donc, mademoiselle, comment Loulou s'y serait prise pour poignarder sa mère. Quels mobiles l'auraient poussée à commettre ce geste ?

Logicielle, *prenant toute l'assistance à témoin* – Les mobiles me semblent évidents : bien que très proches, la mère et la fille n'ont jamais cessé d'être rivales. Rivales dans leur numéro de lancer de couteau, où Loulou était meilleure lanceuse que Mathilde. Rivales au théâtre, où Loulou était devenue meilleure actrice que sa mère.

Loulou, *presque agressive, à présent* – Rivales ? Mais qui vous permet de l'affirmer ainsi ? Vous ne connaissez rien de notre vie. Ma mère, je lui dois tout. Elle m'a tout appris : l'amour de la scène, l'amour de la vie. Elle m'a élevée seule. Nous étions devenues deux amies, deux sœurs, deux complices…

Logicielle – Sur scène, peut-être, mais en amour ?

Loulou pâlit.

LOGICIELLE – Il arrive qu'on doive un jour éliminer ses complices, mademoiselle Loulou. Car pouvez-vous affirmer que vous n'avez jamais été rivales en amour ? *(S'adressant soudain à Alfredo.)* N'étiez-vous pas l'ami de Matilda ? Ne l'avez-vous pas quittée pour sa fille ?

ALFREDO – Si, en effet. Je…

Il baisse la tête et prend à témoin tout le personnel du théâtre qui, embarrassé, évite de le regarder. Puis il avoue :

ALFREDO – Il y a quelques mois, je me suis laissé berner par Matilda, c'est vrai, mais j'ai vite compris quel genre de femme elle était et…

GERMAIN, *récitant* – « Et je me suis cherché, lassé de tant de peines, des vainqueurs plus humains et de moins rudes chaînes… »

ALFREDO, *jouant le jeu de Germain, et désignant Loulou en déclamant avec une conviction farouche* – « Je les ai rencontrés, inspecteur, dans ces yeux. Et leurs traits à jamais me seront précieux ! » Loulou est innocente, et…

LOGICIELLE – Puis-je continuer ? À mon avis, les rivalités sentimentales de la mère et de la fille ne datent pas d'aujourd'hui : l'an dernier, ici même, l'acteur Edmond Joyeux a été tué « accidentellement » par un coup de revolver que Matilda a tiré sur lui, en pleine représentation. *(Vers Loulou.)* J'imagine que vous aviez quelques vues sur ce jeune homme, mademoiselle Goducheau ? Mais je pense que vous n'avez pas tardé à comprendre qu'il resterait attaché à votre mère.

LOULOU – C'est faux ! Je n'ai jamais éprouvé quoi que ce soit pour Edmond Joyeux !

GERMAIN, *interrompant sa stagiaire* – Mais était-ce réciproque, mademoiselle ?

La question de l'inspecteur trouble Loulou, qui réfléchit et avoue :

LOULOU – Il est possible en effet qu'Edmond Joyeux se soit intéressé à moi. Mais je n'ai jamais songé une seconde à… Ma mère était folle de lui ! C'était l'homme de sa vie !

GERMAIN – Était-ce réciproque, là aussi ?

LOULOU – Non. *(Elle rassemble ses souvenirs.)* Non, en effet. Edmond Joyeux voulait même rompre. Mais il ne savait comment l'annoncer à ma mère.

LOGICIELLE – Vous avez réglé le problème pour lui. En mettant dans le revolver une vraie balle à la place d'une cartouche à blanc ! En essayant, une première fois, de vous débarrasser de votre mère.

Loulou ne parvient plus à ravaler sa peine ou sa colère.

LOULOU – C'est faux… C'est complètement faux !

LOGICIELLE – Le mois dernier, en ravissant Alfredo à votre mère, vous avez entrepris une série de revanches. Une fois vaincue sur le plan sentimental, elle continuait toutefois de bloquer votre carrière sur le plan professionnel : elle venait de vous confisquer le rôle qui vous revenait de droit. Vous avez donc décidé de vous débarrasser de votre mère dès la première représentation, en imaginant une mise en scène diabolique, propre à faire peser les soupçons sur tous les membres du personnel – sauf sur vous, puisque vous étiez censée vous trouver très loin de la scène à ce moment-là.

AUTEUR – Mais… comment s'y serait-elle prise ?

LOGICIELLE – Quelques instants avant le lever du rideau, Loulou et Alfredo sont au bar, en compagnie de Jo et de Julien, le machiniste. Grâce au téléviseur qui, près du comptoir, retransmet en direct ce qui se passe sur la scène, Loulou guette le commentaire de la télévision qui lui indiquera le moment précis où elle devra quitter le bar – car elle a, la veille ou les jours précédents, soigneusement chronométré le temps que nécessite son parcours. Donc trente secondes avant que les trois coups ne soient frappés, elle simule un malaise. Cela n'étonne personne : Jo et Julien ont l'habitude de voir Loulou malade avant le lever du rideau. Elle quitte donc le bar et se rend aux toilettes, certaine que son ami Alfredo l'accompagnera. Là, elle lui demande d'aller chercher un comprimé dans sa loge…

LOULOU – Je ne lui ai rien demandé ! Je venais de prendre un petit calmant, mais rien ne me soulage quand je suis trop angoissée !

René Brusses, très attentif aux explications de Logicielle, sort de sa poche un calepin et un crayon, et il se met à griffonner frénétiquement.

LOGICIELLE – Alfredo se rend dans la loge de Loulou. Et il croise en route Annie, l'habilleuse ! Un hasard qui n'arrange pas du tout la meurtrière…

AUTEUR – Pourquoi donc ?

LOGICIELLE – Parce que si Alfredo n'avait croisé personne, Loulou lui aurait sans doute demandé d'affirmer devant nous qu'il ne l'avait pas quittée ! Et Alfredo serait devenu, pour Loulou, un alibi inattaquable. Aussi inattaquable que les alibis de messieurs Brusses et Bouchard qui ne se sont pas quittés côté jardin, ou du régisseur et du pompier, qui sont restés ensemble côté cour.

AUTEUR – Loulou se retrouve donc seule aux toilettes ?

LOGICIELLE – Elle n'y reste pas longtemps : aussitôt Alfredo parti, elle se rend dans les coulisses et monte aux cintres par l'échelle métallique.

ÉLECTRICIEN – Impossible : j'étais à quelques mètres de là ! Je l'aurais vue… ou entendue.

LOGICIELLE – Non, monsieur Descande. Vous pensez bien que j'ai vérifié. Avec le brouhaha de la salle, et dans la fièvre qui précède le lever du rideau, personne n'a vu ni entendu Loulou ! Elle gravit donc les barreaux pour arriver sur la passerelle qui domine la scène, sept ou huit mètres plus bas. Et lorsque le silence se fait, Loulou est sur place, là-haut. Elle ouvre la mallette qu'elle a pris la précaution de déposer dans les cintres la veille, aucun risque, il n'y a pas de changement de décor et elle sait que personne ne montera là. Dès lors, tout se passe très vite : dès que le régisseur martèle le plancher de coups multiples, Matilda entre en scène. À ce moment-là, Loulou lâche des cintres un mouchoir, qui tombe aux pieds de sa mère à l'instant où l'obscurité commence à se faire. Matilda a le temps d'apercevoir, à terre, cet objet qu'elle pense avoir laissé échapper de sa poche. Elle se baisse aussitôt pour le ramasser car ce serait plus gênant de le faire devant six cents personnes, lorsque le rideau sera levé. À cet instant…

DIRECTEUR – À cet instant, l'obscurité est sans doute faite ! Et les trois derniers coups sont frappés !

LOGICIELLE – En effet. Mais Loulou a le temps de viser. Viser le dos de sa mère, penchée pour ramasser le mouchoir. Loulou sait faire mouche, même dans l'obscurité, monsieur Blanc vient d'en témoigner. De plus, lorsqu'elle lance le poignard, l'obscurité n'est pas encore totale ; elle le devient sans doute quand le poignard parvient... à destination ! Restent deux secondes de nuit, pendant lesquelles Matilda s'écroule définitivement. Quand le rideau se lève, elle est morte !

DIRECTEUR – C'est stupéfiant ! Car atteindre une cible pareille, à sept ou huit mètres, dans une position inconfortable, et sans lumière...

Logicielle saute sur scène avec la mallette, et elle se dirige vers le lieu où Matilda a été retrouvée. Elle enlève le tapis qui dissimulait, pendant la représentation de ce soir, le dessin à la craie de la forme du cadavre de Matilda. Elle invite l'assemblée à se rapprocher.

LOGICIELLE – Regardez comme le plancher a été percé ici, au centre, à de multiples endroits très proches les uns des autres.

DIRECTEUR, *haussant les épaules* – Bah, c'est la trace que laissent les clous de tapissier! Julien, venez donc voir.

Julien s'approche, examine les trous, hoche la tête et avoue sans enthousiasme :

MACHINISTE – Rien à voir avec des clous, monsieur le directeur! Les traces sont plus profondes et elles ne sont pas rondes, mais longues…

Logicielle laisse tomber sur le plancher, pointe en avant, l'un des poignards de la mallette. Puis elle le retire par le manche.

LOGICIELLE – Vous voyez la forme de l'empreinte? C'est celle d'une lame de poignard.

MACHINISTE – La vôtre est plus petite!

LOGICIELLE – Voulez-vous que je monte aux cintres pour vous montrer l'empreinte que laisse un poignard qui tombe de sept mètres de hauteur? Les jours précédant son forfait, Loulou s'est exercée! Et le plancher de la scène porte encore la trace de ses… « répétitions ».

AUTEUR – Et la clé, mademoiselle? La clé retrouvée dans la main de Matilda?

LOGICIELLE, *soupirant* – La clé, c'est le défaut de la cuirasse, l'incident inattendu, le détail auquel Loulou n'a pas pensé : après avoir lâché le mouchoir, Loulou s'empare donc d'un des poignards. Ce geste précipité fait sortir de la serrure de la

134

mallette cette fameuse clé, qui tombe à terre au même endroit – et à peu près au même moment – que le mouchoir. Penchée pour ramasser le mouchoir, Matilda aperçoit la clé. Elle la prend avec son autre main… à l'instant précis où le poignard la transperce !

AUTEUR – Très compromettante, cette clé !

LOGICIELLE – Oui. D'autant que Loulou, malgré tous ses efforts, sera incapable de la récupérer par la suite ! Car une fois le rideau levé, la victime sera entourée de témoins multiples.

DIRECTEUR – Attendez : lorsque le rideau se lève, que fait la meurtrière ?

LOGICIELLE – Elle profite de la confusion qui va suivre pour descendre l'échelle des cintres. Tous ceux qui sont proches des coulisses se précipitent sur la scène à ce moment-là, et personne ne la verra ni l'entendra. Elle n'a plus qu'à regagner les toilettes… où Alfredo la rejoindra avec les cachets qu'elle lui a réclamés ! À ses yeux, Loulou, malade, n'a pas pu bouger.

DIRECTEUR, *sceptique* – Croyez-vous qu'elle ait eu le temps d'agir ?

LOGICIELLE – Il lui fallait un peu moins de deux minutes. J'ai chronométré. C'est suffisant pour effectuer le trajet aller-retour des toilettes aux cintres.

DIRECTEUR, *admiratif* – C'est fort... C'est très fort! Mais comment avez-vous pu soupçonner, mademoiselle, que le coup *(Il désigne les cintres.)* venait, si j'ose dire, « d'en haut » ?

LOGICIELLE – Grâce à mon ordinateur, monsieur Bouchard. Mon logiciel a tenu compte du volume du théâtre, donc de ses trois dimensions.

AUTEUR – Et la mallette de Loulou ? Qu'en a-t-elle fait ?

LOGICIELLE – Elle l'a dissimulée dans les cintres ou parmi les accessoires des coulisses, quand elle est redescendue. Elle aura eu tout le temps de la récupérer le lendemain matin, au moment où nous interrogions messieurs Bouchard et Brusses. Loulou avait peu de raisons d'être inquiète : elle savait que les soupçons se porteraient en priorité sur tous ceux qui étaient proches de la victime, en coulisses.

La plupart des membres du personnel, sur scène, semblent effondrés devant ces révélations. Seul Alfredo conserve le visage haut et une détermination farouche. Le directeur paraît très intéressé, mais moins que l'auteur, qui, pendant la reconstitution de Logicielle, n'a cessé de prendre des notes sur son petit carnet.
Loulou paraît anéantie.

Enfin le directeur du Lido, sur un bref signe de Germain, salue l'assemblée d'un grand geste et quitte la salle.

SCÈNE III

Logicielle se tourne vers Germain. Elle désigne les gardiens de la paix qui se tiennent toujours côté cour et côté jardin.

LOGICIELLE – Pensez-vous, monsieur l'inspecteur, que nous pouvons procéder à l'arrestation de mademoiselle Louise Goducheau?

GERMAIN, *embarrassé* – Non... Non, Logicielle, je ne le pense pas.

Tous les visages se relèvent, stupéfaits, y compris celui de Loulou, dont l'espoir renaît.

GERMAIN – En effet, je ne pense pas que Loulou soit coupable. Je ne crois pas qu'elle ait tué sa mère. Oh, votre raisonnement, Logicielle, est rigoureux! Mais il laisse dans l'ombre des détails importants; il souffre de quelques contradictions. Et quelqu'un, ici, est en mesure d'apporter toute la lumière sur ce drame! Je suis d'ailleurs étonné qu'il ait gardé le silence si longtemps.

Alfredo fait un pas en avant.

ALFREDO – Vous avez raison, inspecteur, il faut en finir. C'est moi qui ai assassiné Matilda.

Nouvelle stupéfaction de l'assemblée. Loulou, incrédule, ouvre de grands yeux horrifiés.

DIRECTEUR – Comment… Vous, Alfredo ?

ALFREDO – Oui, Loulou est innocente. Souvenez-vous : qui Annie a-t-elle vu dans le couloir au moment du lever du rideau ?

ANNIE, *timidement* – Vous. C'est vous que j'ai vu, Alfredo.

ALFREDO, *d'une voix sombre* – Je ne revenais pas de la loge de Loulou, mais des cintres. Dites-le… Mais dites-le donc, Annie !

ANNIE, *hésitante* – Il… Oui, Alfredo revenait des coulisses. C'est d'ailleurs exactement ce que j'ai déclaré quand vous m'avez interrogée, monsieur l'inspecteur. Mais j'étais persuadée qu'il était d'abord allé dans sa loge.

ALFREDO, *prenant toute l'assemblée à témoin* – Si Loulou s'était rendue en coulisses, c'est elle qu'Annie aurait dû voir ! Loulou n'a pas quitté les toilettes, elle était réellement malade !

LOGICIELLE – Est-ce exact, mademoiselle ?

Loulou – Oui. Je n'ai pas quitté les toilettes. Mais… Oh non, Alfredo n'a pas pu tuer ma mère !

Directeur, *ébahi* – Mais comment vous y êtes-vous pris, Alfredo ?

Alfredo, *presque hargneux* – Pardi, exactement de la façon qu'a expliquée la collègue de l'inspecteur ! Je savais évidemment tout de la vie de Loulou et de Matilda. Je connaissais l'existence de la mallette. Et il m'a fallu le même temps pour commettre mon forfait. Je me doutais bien que Loulou serait malade avant le spectacle. J'ai profité du moment où elle était aux toilettes pour agir.

Directeur, *fronçant les sourcils* – Vous avez drôlement bien visé ! Vous n'êtes pourtant pas lanceur de couteaux !

Alfredo, *désignant les traces sur le plancher* – Réfléchissez : au cours des répétitions, Matilda entrait en scène à l'acte I pour s'arrêter sur scène toujours au même endroit, face à la petite croix peinte en rouge. Je n'avais même pas besoin de viser ! Il me suffisait de lâcher le poignard au bon moment, il irait se planter tout seul, ce n'était pas sorcier !

Directeur – Mais pourquoi, pourquoi avez-vous fait cela, Alfredo ?

ALFREDO, *contenant sa colère* – Parce que Matilda gâchait la vie de sa fille ! Parce qu'elle avait une influence déplorable sur elle ! Parce que c'était une femme... jalouse, envieuse, intéressée ! D'ailleurs, elle venait de s'acoquiner avec un type de la pire espèce, chacun ici pourra en témoigner. Et Julien avait raison, inspecteur : à l'exception de Loulou, qui est incapable de détester quiconque, personne ne regrettera Matilda !

Alfredo s'avance sur scène ; il tend ses deux mains pour qu'on lui passe les menottes.

ALFREDO – J'espère que la spontanéité de mes aveux et la personnalité de la victime me vaudront les circonstances atténuantes !

C'est au tour de Loulou de se précipiter vers Alfredo : elle saisit ses deux mains tendues et le force à l'entourer de ses bras.

LOULOU – Non ! Je ne veux pas ! Alfredo... Tu n'as pas pu faire ça !

Germain éclate alors de rire, à l'indignation générale, car tous les membres du personnel semblent émus par le désarroi de Loulou. Puis l'inspecteur applaudit.

GERMAIN – Bravo ! Bravo, Alfredo, pour cette improvisation superbe ! Ce meurtre dont vous vous accusez constitue en effet une circonstance atténuante que le juge appréciera... Car vous n'êtes pas tout à fait innocent, et vous le savez bien !

DIRECTEUR, *contrarié et indécis* – Attendez, inspecteur. Que voulez-vous dire ? Alfredo est-il le meurtrier, oui ou non ?

GERMAIN – Non. Alfredo n'a pas tué Matilda.

DIRECTEUR – Donc il est innocent ?

GERMAIN – Il est passible d'un chef d'accusation qu'on appelle habituellement « non assistance à personne en danger ».

Le personnel tourne alternativement ses regards vers Alfredo, Loulou, Logicielle, l'inspecteur. Personne ne sait plus qui croire et que penser. Même René Brusses a cessé de prendre des notes et il hésite, bouche ouverte, visage interrogatif, stylo en main.

DIRECTEUR – Expliquez-vous enfin, inspecteur !

GERMAIN – Alfredo savait que Matilda allait mourir. Et il n'a rien fait pour empêcher cette mort. Il en est donc complice, même s'il n'en est ni l'auteur, ni le responsable direct.

LOGICIELLE – Que voulez-vous dire, Germain ?

L'inspecteur se tourne vers Alfredo, dont l'expression hésite à présent entre incrédulité et soulagement.

GERMAIN – Tout à l'heure, je pensais qu'Alfredo nous expliquerait ce qui s'est réellement passé. Je n'imaginais pas qu'il s'accuserait de façon aussi rocambolesque ! Pourquoi n'avez-vous pas dit la vérité, Alfredo ?

ALFREDO – Parce que... elle est si invraisemblable, inspecteur ! Personne ne m'aurait cru. C'était si bien échafaudé, si... machiavélique ! Je suis stupéfait que vous ayez compris.

DIRECTEUR, *très courroucé* – Compris quoi ? Allez-vous enfin nous dire, inspecteur – ou Alfredo, puisque vous semblez aussi le savoir –, qui a tué Matilda ?

GERMAIN – J'évoquais tout à l'heure des contradictions dans la reconstitution de ma jeune collègue : en effet, que le pompier Montag n'ait pas entendu le meurtrier gravir les échelons métalliques qui mènent aux cintres, je veux bien l'admettre ! Mais il y a un bruit qui n'aurait dû échapper à personne : regardez et écoutez.

Tout en parlant, Germain rejoint tous les protagonistes sur scène. Il s'empare de la clé.

GERMAIN – Lorsque l'assassin présumé laisse échapper cette clé, à peu près en même temps que le mouchoir, le silence est quasiment total, n'est-ce pas ? Sur le plateau comme dans la salle ? Donc, à ce moment-là, la clé tombe sur scène !

Germain lance en l'air la clé... qui rebondit sur le parquet en tintant.

GERMAIN, *se tournant vers ses interlocuteurs successifs* – Avez-vous entendu ce bruit, monsieur le régisseur ? Et vous, messieurs Brusses et Bouchard ? Ou vous encore, monsieur le souffleur, qui aviez l'oreille pratiquement collée au plancher de la scène ? Non, n'est-ce pas ?

AUTEUR, *s'insurgeant* – Vous oubliez, inspecteur, que les trois derniers coups étaient frappés à ce moment précis ! Le bruit de la clé tombant par terre a très bien pu se confondre avec celui du brigadier qui martelait le sol !

GERMAIN, *haussant les épaules* – Certes. Mais cette clé me gêne. Ou plutôt c'est la mallette tout entière qui me dérange.

LOGICIELLE – Pourquoi donc ?

GERMAIN – Voyons, si j'étais le meurtrier, croyez-vous que je me serais encombré de cette mallette ? Ne disposant que de deux secondes pour commettre mon forfait, je me serais contenté d'emporter un seul poignard. Et j'aurais laissé la valise chez moi ! Ce qui m'aurait évité de la dissimuler dans le théâtre après mon crime et de la rapporter ensuite.

Logicielle hoche la tête, troublée par l'argument.

143

GERMAIN – Je dirais même mieux : cette valise, par la suite, ou même avant d'assassiner ma victime, je m'en serais débarrassé très vite ! Je ne l'aurais pas imprudemment conservée en attendant qu'on la découvre lors d'une probable perquisition.

DIRECTEUR – Mais pourtant inspecteur, Matilda a bien été poignardée ! Et elle avait cette clé en main quand elle est morte !

GERMAIN – En effet. Et j'ai moi-même donné deux fois dans le panneau lorsque j'ai débuté mon enquête. Rappelez-vous : j'ai pensé que cette clé pouvait, d'une certaine façon, désigner le meurtrier. Et j'ai écarté, ce qui paraissait alors l'évidence, l'hypothèse du suicide.

DIRECTEUR – Vous voulez dire que ?...

GERMAIN – Que Matilda s'est tuée. Et qu'elle a pris soin, avant de mourir, de garder cette clé dans sa main pour faire accuser sa fille.

Exclamations générales de surprise, d'incrédulité. Loulou se prend le visage entre les mains. Seul Alfredo ne paraît pas étonné. Son soulagement semble grandir au fur et à mesure que Germain s'explique.

AUTEUR – Vous voulez dire qu'elle s'est suicidée ?

144

GERMAIN – Si l'on veut. Mais quand le suicide est maquillé en meurtre par son auteur, quand l'intention de la victime est de faire accuser un innocent, le terme de suicide me paraît inadéquat. Et si Matilda était encore vivante, ici, devant moi, je l'accuserais bel et bien de tentative de meurtre – sur elle-même – avec préméditation, faux témoignage et entrave à l'action de la justice.

René Brusses, contrarié, déchire plusieurs feuilles de son carnet et il entame une nouvelle page.

AUTEUR – Bien. Donc, nous repartons à zéro ! Pouvez-vous nous expliquer, inspecteur, comment Matilda s'y est pris et quels ont été les mobiles de son acte ?

GERMAIN – Oh, c'est assez simple ! La veille de la première, ou quelques jours avant... Quand l'avez-vous vue monter dans les cintres avec le poignard, Alfredo ?

ALFREDO, *rougissant, troublé par la question directe* – Avant-hier matin, inspecteur.

GERMAIN – Avant-hier matin, donc, Matilda a soigneusement échafaudé cette mise en scène. Elle s'est d'abord rendue incognito dans l'appartement de Loulou pour y dissimuler la mallette tout en haut d'un placard. Elle a pris soin de conserver un poignard et, évidemment, la clé! Ensuite, elle est montée aux cintres pour calculer à quel endroit précis elle devrait placer son poignard... ce qui explique les empreintes que ma collègue nous a montrées sur le sol tout à l'heure.

AUTEUR – Donc, ce poignard, personne ne l'a lancé?

Tout en parlant, Germain tire de sa poche le morceau de corde découvert la veille; puis, l'un des couteaux de la mallette à la main, il gravit les échelons métalliques et atteint la passerelle des cintres.

GERMAIN – Ce n'était pas nécessaire! Voyez: une simple ficelle maintenait le poignard coincé dans le dispositif à crémaillère du rideau de scène. Pouvez-vous le fermer, monsieur Deguy?

Le rideau s'abaisse. Là-haut, Germain entoure le poignard avec la ficelle, qu'il coince ensuite dans l'une des crémaillères centrales du dispositif commandant l'ouverture et la fermeture du rideau. Il continue d'agir et d'expliquer en criant en contrebas:

GERMAIN – Oh, pouvez-vous vous écarter, Annie? Oui, vous êtes précisément là où se trouvait Matilda au moment du lever du rideau! Très bien. Voulez-vous frapper les trois coups, monsieur Deguy? Vous acceptez de jouer le rôle de Matilda, Logicielle? Très bien, allez en coulisses côté cour, vous savez exactement à quel moment entrer, mais prenez garde de vous tenir à l'écart du dessin à la craie!

Le régisseur s'empare de son brigadier, martèle le sol, puis frappe lentement trois coups.

GERMAIN – Voilà! Matilda entre en scène, poussée par le pompier... Elle se tient à l'endroit qu'elle a repéré. Tandis que les trois derniers coups sont frappés et que la lumière diminue – non, laissez-nous la lumière, monsieur Descande! – elle saisit dans ses poches son mouchoir et la clé de la mallette. À présent, l'obscurité est totale. Et Matilda s'allonge à terre!

En contrebas, Logicielle se met à plat ventre, à bonne distance de l'endroit où le dessin à la craie figure le corps de Matilda.

GERMAIN – Le dernier des trois coups... Et le rideau se lève!

À peine s'est-il soulevé que là-haut, la crémaillère déroule la ficelle... qui libère le poignard. Et tandis que le rideau se lève, le poignard tombe; il vient se ficher dans le plancher avec un bruit sourd, au milieu du dessin à la craie qui schématise le cadavre de l'actrice.

GERMAIN – Vous noterez que le rideau met plus de temps à se lever que le couteau à tomber ! Aussi, quand les projecteurs s'allument une seconde plus tard, ils éclairent Matilda, poignardée !

Tandis que le personnel du théâtre tient ses regards fixés sur le couteau, Germain redescend l'échelle métallique pour regagner la scène.

DIRECTEUR – Je comprends ! Par la suite, votre enquête vous entraînerait jusqu'à Loulou ?...

GERMAIN – Oui. Matilda avait à peu près tout prévu : elle savait que la police découvrirait que Loulou était sa fille ; elle se doutait qu'en fouillant dans le passé de la victime et des suspects, les enquêteurs retrouveraient une trace de ce fameux numéro de lanceuses de couteaux ! Les soupçons, ensuite, se porteraient sur Loulou puisqu'elles avaient toujours refusé de révéler laquelle d'entre elles lançait les poignards !

AUTEUR – Et vous êtes certain, inspecteur, que c'était Matilda ?

GERMAIN, *riant* – Oh oui ! Et je vous expliquerai pourquoi tout à l'heure !

AUTEUR, *réfléchissant, et levant soudain le crayon de son carnet* – Matilda a cependant pris un risque énorme, inspecteur ! Car pour que les soupçons se portent sur Loulou, il fallait absolument qu'elle soit seule au moment du lever du rideau ! Elle devait se douter qu'Alfredo serait avec sa fille !

GERMAIN – Exact, monsieur Brusses. Aussi Matilda a-t-elle pris le maximum de précautions pour que Loulou soit malade ce soir-là. Je suppose qu'un quart d'heure ou une demi-heure avant le lever du rideau, votre mère est venue vous rendre visite dans votre loge ?

LOULOU – En effet. Comme d'habitude.

ANNIE – J'y étais aussi, inspecteur. Matilda venait toujours voir Loulou quelques instants avant d'entrer en scène.

GERMAIN – Et elle vous a fait absorber un médicament, n'est-ce pas ?

LOULOU – C'est moi-même qui lui ai demandé de m'en mettre quelques gouttes dans un peu d'eau. Je prends toujours un tranquillisant avant d'entrer en scène. Mais ça n'a jamais beaucoup d'effet.

GERMAIN – D'autant moins d'effet cette fois-ci que votre mère n'a pas utilisé de calmant, mais de l'Ipeca, pour provoquer chez vous des vomissements un quart d'heure plus tard ! Ainsi, elle était certaine que vous devriez vous isoler quelques minutes, et au bon moment.

Hélas, Alfredo, qui était pourtant au courant de beaucoup de choses, ignorait que Matilda avait fait absorber ce vomitif à sa fille.

Germain se tourne vers Alfredo qui n'est pas très fier.

GERMAIN – Car en apercevant avant-hier matin Matilda qui effectuait des essais depuis les cintres, Alfredo a compris ce qui avait germé dans son cerveau machiavélique ! Il savait qu'elle projetait de se suicider et il n'a rien fait pour l'en empêcher, trop content d'être débarrassé d'une femme qui étouffait et paralysait sa nouvelle amie ! Mais il fallait que Loulou soit hors de cause. Aussi, le soir de la première, il s'est entouré d'un maximum de témoins au moment du « meurtre ». Il a entraîné Loulou au bar dès qu'elle est sortie de sa loge. Il savait à coup sûr y retrouver Jo et Julien. Imaginez l'alibi : tous quatre, accoudés au comptoir, assistent en direct à la mort de Matilda, sur scène, à trente mètres de là ! Impossible, alors, de soupçonner Loulou comme Matilda l'avait prévu.

JO – Mais ça ne s'est pas passé comme ça, inspecteur ! Avant le lever du rideau, Loulou a été obligée de partir aux toilettes.

MACHINISTE – Et elle ne simulait pas, la malheureuse !

GERMAIN – Non. Elle était réellement malade. Au point qu'Alfredo, malgré son insistance et ses efforts, n'a pu la retenir au bar. Alors, il s'est affolé. Le piège de Matilda se refermait : Loulou ne disposait plus d'alibi ! Il l'a accompagnée aux toilettes.

MACHINISTE – Eh bien ? Loulou était disculpée ! Alfredo devenait son alibi !

GERMAIN – C'est ce qu'il a cru, du moins dans un premier temps. Car êtes-vous sûr, Julien, que j'aurais cru Alfredo s'il m'avait juré ne pas avoir quitté Loulou ? Eh non, une fois découvert le numéro de lanceuses de couteaux des sœurs Lou et Loulou, j'aurais soupçonné Alfredo de vouloir couvrir son amie. Alfredo l'a très vite compris !

AUTEUR – Et il s'est rendu dans les coulisses ? Mais pourquoi ?

GERMAIN – Oui, pourquoi ? Répondez donc, Alfredo !

ALFREDO, *tête baissée* – Pour récupérer le poignard dans les cintres. Pour empêcher le suicide de Matilda.

GERMAIN, *sur un ton dur* – Il était temps ! Ce beau geste ne vous a été inspiré que par la peur soudaine de voir les soupçons se porter sur votre amie !

ALFREDO – Mais c'était trop tard : arrivé au bas de l'échelle, j'ai entendu le début des trois coups. J'ai compris que je n'aurais jamais le temps de monter pour enrayer cette machine infernale. Je suis vite retourné rejoindre Loulou.

ANNIE – Et c'est à ce moment-là que je vous ai croisé !

AUTEUR, *quelque peu troublé* – Mais enfin, Alfredo, pourquoi n'avoir pas aussitôt révélé toute la vérité ?

GERMAIN – Vous plaisantez ! Comme Alfredo nous l'a dit tout à l'heure, cette vérité était trop invraisemblable pour être admise une seconde par les enquêteurs ! Il ne restait plus à Alfredo qu'à espérer que les soupçons se portent sur messieurs Brusses, Bouchard... ou de Saint Gilles !

LOULOU, *se rapprochant d'Alfredo et lui saisissant les mains* – Mais tu as préféré t'accuser de meurtre plutôt que de révéler le suicide de ma mère... Quelle folie !

Le regard de Loulou s'arrête soudain sur les traces de craie qui, au sol, indiquent l'emplacement du corps de Matilda. Alors, elle s'effondre, sanglote entre les bras d'Alfredo et répète :

LOULOU – Quelle folie !

Logicielle se tourne vers les membres du personnel qui attendent à présent, indécis. Ses yeux se fixent sur le couple que forment Alfredo et Loulou.

LOGICIELLE – Ils sont donc innocents ?

GERMAIN – Ils ne sont pas coupables.

DIRECTEUR, *hésitant* – Est-ce que... Est-ce que nous pouvons disposer, inspecteur ? Que va-t-il se passer maintenant ?

GERMAIN – Vous pouvez disposer, monsieur le directeur. *(Se tournant vers les autres membres du personnel.)* Et vous aussi. Je vous remercie.

Alfredo et Loulou, main dans la main, s'approchent de Logicielle et de l'inspecteur, comme pour se mettre à leur disposition.

GERMAIN – Vous pouvez également partir. Nous nous reverrons.

Pendant que les membres du personnel quittent la scène un à un, qui côté cour, qui côté jardin, Brusses et Bouchard, indécis, restent les derniers.

DIRECTEUR – En ce qui concerne le spectacle, inspecteur ? ...

GERMAIN – La pièce ? Excellente, je vous le répète !

DIRECTEUR – Non, je voulais dire… Pouvons-nous poursuivre les représentations ?

GERMAIN, *un peu irrité* – Mais oui. Comme on dit chez vous, « le spectacle continue » !

Les deux hommes s'éclipsent très vite, laissant Logicielle et Germain seuls, debout devant les fauteuils d'orchestre.

SCÈNE IV

LOGICIELLE, *après un gros soupir* – Belle démonstration, Germain ! Vos inquiétudes sont dissipées, j'imagine ?

GERMAIN – Quelles inquiétudes ?

LOGICIELLE – Vous redoutiez d'être muté. Cette enquête vous apparaissait comme une sorte de défi, dont l'un de nous deux devrait sortir vainqueur. Je me suis trompée, je me suis entêtée, et vous avez vaincu.

GERMAIN, *souriant avec un peu d'amertume* – Je n'ai vaincu ici que quelques doutes concernant mes propres capacités. C'est déjà beaucoup. C'est même sans doute l'essentiel.

LOGICIELLE – Dites-moi… comment êtes-vous arrivé à la conclusion d'un suicide maquillé en meurtre ? Avec un morceau de ficelle, et grâce à l'absence du bruit de cette clé tombant sur scène ?

GERMAIN – Non. En essayant de deviner quels étaient les rapports entre Loulou et sa mère.

LOGICIELLE – Et qu'en avez-vous conclu ?

GERMAIN – Que Matilda ne s'est jamais remise de la mort d'Edmond Joyeux. Celle-ci est survenue alors que Matilda était au faîte du succès. Au moment où elle croyait décrocher la gloire et l'amour, elle a perdu l'une et l'autre.

LOGICIELLE – Quand ?

GERMAIN – Lorsqu'elle a brutalement compris qu'Edmond était amoureux de sa fille. J'imagine qu'elle a alors dégringolé la pente aussi vite qu'elle l'avait gravie. Elle n'a plus cru à son propre talent, elle a douté de son pouvoir sur les hommes, elle a accumulé les liaisons sans lendemain.

LOGICIELLE – Même avec Alfredo ?

GERMAIN – Alfredo, elle a failli y croire. Mais il l'a achevée, sans le savoir : en lui préférant sa fille, il lui faisait revivre l'échec de sa liaison avec Edmond Joyeux. Elle a compris que désormais, ce serait Loulou qui lancerait les couteaux, ce serait sa fille qui mènerait le jeu.

LOGICIELLE – Les couteaux… Vous êtes absolument certain que c'était Matilda qui les lançait sur sa fille ?

GERMAIN – Oui ! Elle a peut-être essayé de lui enseigner son art, mais avec l'espoir qu'elle ne parviendrait jamais à l'égaler. D'ailleurs, Loulou aurait tremblé de tous ses membres à l'idée de blesser sa mère.

LOGICIELLE, *réfléchissant* – Quelle situation ambiguë que celle de ces deux femmes… En tirant sur sa fille chaque soir, Matilda exerçait sur elle une sorte de pouvoir permanent de vie ou de mort ?

GERMAIN – Oui. Qui sait d'ailleurs si cet exercice n'a pas exacerbé à la longue les pulsions meurtrières de Matilda envers sa rivale…

LOGICIELLE – Sa rivale ? Elles l'étaient donc ?

GERMAIN – Mais oui. Matilda ne supportait pas de vieillir. Dans leur numéro de lanceuses de couteaux, elles passaient pour sœurs. Elles portaient un masque qui permettait de les confondre. À ce jeu, elles cultivaient une égalité dont Matilda était la maîtresse. Mais le théâtre, en dépit des maquillages et des costumes, a peu à peu sapé cette complicité ; au théâtre, Matilda a fini par être dépassée.

LOGICIELLE – Était-ce une raison suffisante pour décider de se supprimer ?

GERMAIN – La situation de Matilda était devenue douloureuse et difficile. Son talent et sa beauté s'étiolaient; les hommes qu'elle séduisait se tournaient désormais vers sa fille...

LOGICIELLE – Vous oubliez monsieur de Saint Gilles!

GERMAIN – Certes. Mais cet homme qu'elle avait cru riche, noble et généreux, s'est vite révélé un escroc de petite envergure. Elle a dû mesurer alors l'abîme où elle était tombée. Elle a aussi compris qu'elle ne maîtrisait plus son rôle.

LOGICIELLE – Mais pourquoi cette mise en scène macabre?

GERMAIN – Parce qu'elle lui permettait de redevenir une dernière fois le point de mire. Et de partir en beauté.

LOGICIELLE – Tout de même... c'est un suicide!

GERMAIN – Non, une vengeance, Logicielle! Matilda ne s'est pas suicidée. Elle a mis en balance sa propre disparition avec la possibilité de punir sa fille : la punir de sa jeunesse, de sa beauté, de son talent, et de la préférence qu'Alfredo venait de lui accorder. Car disparaître, c'était aussi la culpabiliser. Les mères possessives et abusives, en mourant, laissent des enfants malheureux et démunis. Mais la punir en la transformant réellement en coupable, c'était une revanche diabolique ! Une revanche qu'elle a préférée à sa propre vie.

Songeuse, Logicielle monte sur scène, se place au centre du dessin à la craie, comme si elle essayait de comprendre les motifs de Matilda. Germain est assis à l'orchestre. Ils restent tous deux silencieux un moment.

GERMAIN – Contre tout cela, que vouliez-vous qu'elle fît ?

Logicielle se rend au jeu d'orgues du régisseur. Elle lève la tête vers les cintres, d'où le couteau est tombé.
Elle hoche alors la tête et déclare :

LOGICIELLE – Qu'elle mourût.

... avant de déclencher le baisser du

RIDEAU.

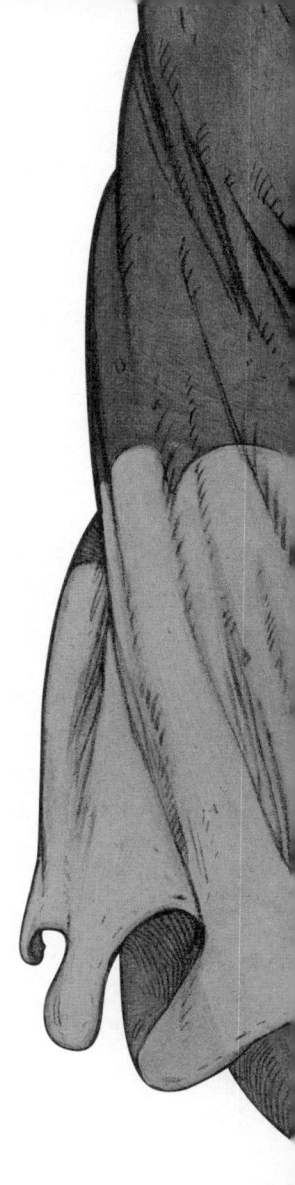

Acte V

*Le Théâtre du Crime,
quelques mois plus tard...*

Scène I

Le rideau est levé.

On entend, provenant des coulisses, des bruits et des conversations à voix basse.

Loulou, en costume de scène, traverse le plateau en courant pour rejoindre le côté cour.

Le décor est presque en place. Gilles Binchois, en salopette, guide la descente du dernier panneau. Il lève la tête vers les cintres et crie :

GILLES – Vas-y doucement, Julien ! Attention… Stop !

Peu après, Julien apparaît à son tour, côté cour. Il transporte un guéridon qu'il pose au centre du plateau. Puis il aide Gilles à fixer le panneau dans les guides, au sol.

MACHINISTE, *joyeux, enjoué* – Dis donc, tu commences à te débrouiller, toi ! Un de ces jours, les patrons vont me renvoyer pour te garder !

GILLES, *sérieux* – J'espère bien que non ! Si tu pars, Julien, je te suis !

DIRECTEUR, *qui vient d'entrer sur le plateau par le côté jardin* – J'espère que vous plaisantez, tous les deux ! C'est que j'ai besoin de vous, moi. *(Il examine le décor, hoche la tête, satisfait.)* Parfait. C'est parfait.

AUTEUR, *apparaissant à son tour côté jardin, et approuvant d'un grand sourire sincère* – Beau travail, en effet !

Il consulte sa montre, claque dans ses mains et crie à la cantonade :

AUTEUR – Allez, tout le monde en place ! On commence !

DIRECTEUR – Mais nos invités ne sont pas encore là, René.

AUTEUR – Si. Je viens de les apercevoir. *(Il crie.)* Max ? Rideau !

Comme le rideau tombe, Gilles Binchois se dépêche d'avancer pour rester sur l'avant-scène et accueillir les nouveaux arrivants.

SCÈNE II

Logicielle apparaît au fond de la salle. Elle avance dans la travée centrale de l'orchestre, guidée par Annie.

LOGICIELLE – Je connaissais le terme de « générale », qui désigne je crois la dernière répétition avant la fameuse « première », mais je vous avoue que j'ignorais l'expression « couturière ».

ANNIE – La « couturière », mademoiselle, c'est la dernière répétition avant la « générale ». C'est pour cela que je dois me trouver ici, dans la salle : pour vérifier une dernière fois que rien ne cloche, et pour apprécier l'effet que donnent les costumes…

Gilles rejoint l'orchestre d'un bond. Il s'approche en souriant.

GILLES – Mademoiselle Logicielle ! Comme je suis content que vous soyez venue !

LOGICIELLE, *lui serrant chaleureusement la main* – Bonsoir, Gilles. Je suis ravie de vous voir ! Alors, vous vous plaisez ici ?

GILLES – Beaucoup. *(Il soupire en désignant la scène.)* Vous savez, je suis très content d'être passé… de l'autre côté. Ah, voici monsieur l'inspecteur !

Germain apparaît à son tour au fond de la salle. Il tient à la main un sac en plastique. Il salue Annie, pose son sac près d'un fauteuil d'orchestre, puis saisit les deux mains de Logicielle.

GERMAIN – Il nous faut donc une invitation officielle au théâtre pour que nous passions une soirée ensemble ! La dernière fois que nous nous sommes vus, c'était...

LOGICIELLE – ... au mariage d'Alfredo et de Loulou.

GERMAIN – Ma foi, c'est vrai ! Encore avaient-ils trouvé le moyen de nous réunir en nous demandant d'être leurs deux témoins ! Sinon, je me demande quand nous aurions pu nous rencontrer ?

LOGICIELLE – C'est que... je suis un peu débordée par les enquêtes, dans le commissariat où j'effectue mon dernier stage. D'ailleurs, je me retiens parfois de vous appeler, pour vous demander conseil.

GERMAIN – Bon sang mais faites-le ! Le vieux dinosaure que je suis serait très flatté, vous savez.

Germain aperçoit Gilles, qui s'approche.

GERMAIN – Mais c'est notre ami Gilles ! C'est vrai, j'avais oublié que vous aviez été engagé comme machiniste...

GILLES – Grâce à vous, monsieur l'inspecteur ! Je n'avais pas encore eu l'occasion de vous remercier.

166

GERMAIN – Moi? Mais je n'y suis pour rien! C'est monsieur Bouchard qui vous a engagé.

GILLES – Oui. Mais c'est vous qui le lui avez suggéré. Et puis c'est aussi grâce à votre déposition que j'ai fait seulement trois mois fermes.

GERMAIN – N'oubliez pas les trois ans avec sursis, Gilles!

GILLES – Oh, pas question que je replonge, inspecteur. « L'affaire Matilda » m'a vacciné.

GERMAIN, *se tournant vers Annie* – Quel est le titre de la pièce à laquelle nous devons assister ce soir?

ANNIE – *Coups de théâtre*. Mais venez donc, monsieur l'inspecteur. Allons nous asseoir à l'orchestre, aux meilleures places…

Ils s'installent. René Brusses passe alors la tête, côté jardin, dans la partie des coulisses qui sépare le rideau de la salle. Il vérifie la présence des quatre spectateurs.

AUTEUR – Bonsoir, inspecteur! Bonsoir mademoiselle Logicielle… Ça y est? Vous êtes installés?

GERMAIN – Nous sommes prêts, monsieur Brusses!

La lumière s'abaisse progressivement dans la salle.

LOGICIELLE, *chuchotant* – C'est vraiment très gentil à messieurs Brusses et Bouchard de nous avoir invités à la couturière de leur nouveau spectacle, vous ne trouvez pas, Germain?

GERMAIN – Si... Mais je me demande si cette pièce sera aussi bien ficelée que *Meurtre en direct*.

LOGICIELLE – Et quand aura lieu la première de *Coups de théâtre*?

ANNIE, *embarrassée* – La date n'est pas fixée.

GILLES, *chuchotant lui aussi* – Je crois que la fin du spectacle pose encore problème. Comme c'est une pièce policière, monsieur Brusses compte sur votre expérience pour repérer les incohérences de l'intrigue...

ANNIE – Chut! Ça commence!

L'obscurité est presque totale. On entend les trois coups que frappe le régisseur en coulisse, puis on perçoit, dans le noir, le froissement du rideau qui se lève. Enfin, la lumière jaillit... et les projecteurs éclairent, au centre de la scène, une actrice allongée sur le ventre, un poignard planté dans le dos! Une large tache de sang commence à auréoler sa robe.

Dans la salle, Germain se lève aussitôt et il bondit vers la scène.

GERMAIN – Ah non ! Une fois mais pas deux ! Que personne ne bouge, que personne ne sorte !

Il saute sur le plateau. À cet instant, l'actrice allongée se relève, stupéfaite par sa réaction.

SCÈNE III

Surgissent alors côté jardin, Brusses et Alfredo, et côté cour, Bouchard et Loulou. Alfredo est exactement vêtu comme l'était Germain durant « l'affaire Matilda » – et Loulou est habillée comme l'était Logicielle !

DIRECTEUR, *contrarié* – Mais non, inspecteur, c'était prévu dans la scène ! C'est un poignard factice, évidemment. Regardez.

Il ôte du dos de l'actrice le couteau de théâtre qui y était fixé.

GERMAIN, *confus* – J'aurais dû m'en douter ! Excusez-moi, mais j'ai cru… C'était si réaliste !

Le régisseur quitte les coulisses à son tour pour pénétrer sur scène. Il est suivi du pompier et de l'électricien.

RÉGISSEUR – Bon. On reprend tout, monsieur le directeur ? Je baisse le rideau ?

ÉLECTRICIEN – Je refais le noir?

Germain est toujours sur scène. Il semble remarquer tout à coup le costume d'Alfredo et celui de Loulou.

GERMAIN – Attendez un instant! Mais dites-moi, qu'est-ce que ça signifie? Ce décor, ces costumes… *(Désignant l'actrice « poignardée ».)* et cette mise en scène de meurtre qui débute le spectacle?

AUTEUR, *un peu gêné* – Eh bien, monsieur l'inspecteur, pour ma nouvelle pièce, je me suis inspiré de, euh… du drame qui a récemment secoué notre théâtre.

GERMAIN, *scandalisé* – Quoi? Vous avez osé?

DIRECTEUR, *se tournant vers son ami* – Je vous l'avais bien dit, René, que l'inspecteur ne serait pas content que vous ayez utilisé l'affaire Matilda…

GERMAIN, *plus calme, mais sarcastique* – Vous ne manquez pas de toupet, monsieur Brusses!

AUTEUR, *essayant de se disculper* – Franchement, monsieur l'inspecteur, est-ce que quelque chose s'oppose à ce que j'utilise tout ce qui s'est passé?

Le regard de Germain se pose sur Loulou.

GERMAIN – Quelque chose, non. Mais peut-être quelqu'un.

Le regard de Loulou se voile d'une ombre passagère; puis elle fait « non » de la tête, avant d'adresser à Germain un grand et vrai sourire. Elle prend la main d'Alfredo, qui l'entoure aussitôt de ses bras. Germain soupire, et se tourne enfin vers l'auteur.

GERMAIN – En fait, non, monsieur Brusses, rien ni personne ne s'y oppose. Mon interruption était malvenue. Je n'interviendrai plus jusqu'à la fin de votre pièce.

Il s'apprête à revenir dans la salle pour y reprendre sa place. René Brusses le retient par le bras.

AUTEUR – Au contraire, inspecteur! C'est précisément à la fin de ma pièce que je souhaiterais que vous interveniez.

GERMAIN – À la fin? Que voulez-vous dire?

RÉGISSEUR, *toujours sur scène, indécis* – Bon... On reprend depuis le début, monsieur Brusses?

AUTEUR – Une seconde, Max! Après tout, l'inspecteur et Logicielle n'ont pas besoin de voir la pièce.

LOGICIELLE – Comment ça, « pas besoin » de la voir? Mais pourquoi nous avez-vous invités?

AUTEUR – La pièce, mademoiselle, vous la connaissez !

GERMAIN, *dans une grimace* – Pardi ! C'est l'histoire de Matilda, n'est-ce pas ? Son suicide sur scène, puis l'enquête ?

AUTEUR – Exactement, inspecteur ! Vous voyez bien qu'assister aux quatre premiers actes ne vous apporterait rien.

GERMAIN – Soit ! Passons donc au cinquième !

AUTEUR, *fronçant les sourcils, soucieux* – Eh bien justement… Le cinquième acte n'est pas achevé. Je n'ai pas fini de l'écrire. Je n'y parviens pas. Je coince. Je ne vois pas comment conclure.

GERMAIN, *incrédule et plutôt amusé* – Non ? Mais alors, comment comptez-vous faire ?

AUTEUR – C'est sur vous que je compte, monsieur l'inspecteur ! Sur vous et sur Logicielle. Je pensais que vous accepteriez d'improviser ici, pour Alfredo et pour Loulou qui tiennent vos deux rôles, la conclusion de ma pièce.

GERMAIN, *interloqué* – Quoi ? Vous plaisantez ?

AUTEUR – Pas du tout ! Acceptez-vous d'essayer ?

GERMAIN – Il n'en est pas question !

LOGICIELLE *depuis sa place, à l'orchestre* – Pourquoi pas, Germain ? Ce serait amusant !

GERMAIN, *moins sûr de lui* – Enfin, c'est ridicule !

LOGICIELLE, *se levant* – Pour vous qui avez toujours rêvé de faire du théâtre, c'est une occasion unique, non ? Et puis cela nous permettra de revivre ma première enquête... du temps où j'étais votre stagiaire !

Soudain très excité, René Brusses chasse de la scène ceux qui l'occupent. Retrouvant les gestes et l'autorité du metteur en scène, il dicte à tous la marche à suivre.

AUTEUR – Max, vous voulez bien retourner à votre jeu d'orgues ? Maurice, remettez-nous la « poursuite » au centre de la scène, s'il vous plaît... Oui, c'est parfait ! Ah, Julien, Gilles, il faudrait que vous nous descendiez le décor du cinquième acte – vous savez : le bureau de l'inspecteur, au commissariat...

GILLES, *bondissant de sa place pour rejoindre les coulisses* – Tout de suite, monsieur Brusses !

AUTEUR – Vous voulez bien monter sur scène, mademoiselle ? Merci !

GERMAIN, *résigné* – Bon. Logicielle, pouvez-vous m'apporter le sac en plastique qui se trouve près de mon siège ?

AUTEUR – Donc, nous en sommes au lendemain du jour où le suicide de Matilda a été découvert par l'inspecteur Germain.

173

Soudain, la large silhouette du souffleur surgit de son trou, tel un diable d'une boîte.

SOUFFLEUR – Et moi, monsieur Brusses, qu'est-ce que je dois faire ?

AUTEUR – Mais rien du tout, Paul ! Vous n'avez rien à souffler puisque le texte n'existe pas encore ! D'ailleurs rassurez-vous : les enquêteurs connaissent leur rôle ! *(Se retournant vers Germain et Logicielle.)* Donc, à la fin du quatrième acte, tous les suspects ont été mis hors de cause, y compris Loulou et Alfredo, oui, j'ai conservé les mêmes noms dans ma pièce... L'inspecteur a révélé et expliqué le suicide de Matilda ; au cinquième acte, sa stagiaire et lui se retrouvent au commissariat.

LOGICIELLE – Ils sont seuls ?

Logicielle est montée sur scène. Elle s'assoit sur le bureau que Julien vient d'apporter. Germain en profite pour glisser deux mots à voix basse à l'oreille du machiniste.

AUTEUR – Ma foi... Qu'en pensez-vous, inspecteur ?

GERMAIN – Non. Ils ne sont pas seuls. Ils ont convoqué quelqu'un... pour un complément d'enquête.

AUTEUR – Qui ?

GERMAIN, *réfléchissant* – Mais… vous, par exemple! Oui, vous, monsieur Brusses.

Germain s'assoit à son tour dans le fauteuil qu'apporte Gilles. Il observe le décor qui descend des cintres.

Debout face aux deux acteurs improvisés, René Brusses, calepin en main, s'apprête à prendre des notes.

AUTEUR – Bien. Donc l'auteur est là. Et que lui disent-ils?

À présent, et sans qu'ils s'en soient vraiment aperçus, les trois protagonistes de la dernière scène du dernier acte sont en place. Tous les autres membres du personnel (à l'exception de Max Deguy, le régisseur, et de Maurice Descande, l'électricien) sont venus discrètement, un à un, prendre place aux fauteuils d'orchestre.

L'obscurité se fait peu à peu dans la salle.

GERMAIN, *désignant le carnet et le stylo que l'auteur a toujours en mains* – Vous allez prendre des notes longtemps, monsieur Brusses?

AUTEUR – Pourtant… C'est pour ça que je suis ici, inspecteur! Et puis écrire, c'est mon métier.

GERMAIN – Je ne vous accuse pas, monsieur Brusses. Néanmoins je vous condamne.

AUTEUR, *soudain très pâle* – Vous… Vous me condamnez?

GERMAIN – Oui. Je vous condamne à faire un petit effort d'imagination pour votre prochaine pièce. Je vous condamne à ne plus exploiter les incidents qui pourraient survenir sur scène. Je vous condamne à redouter la présence d'un témoin dans la salle. N'oubliez jamais que le Théâtre du Crime est désormais dans notre collimateur. À présent, vous pouvez disposer, monsieur Brusses.

René Brusses s'incline légèrement, comme pour acquiescer. Mais il semble pétrifié sur place. Il observe tout à coup la salle sans savoir que faire ni que dire. Alors on entend, depuis le trou du souffleur, une voix qui lance : « Merci... merci, inspecteur ! »

René Brusses semble sortir d'un rêve.

AUTEUR – Merci... merci, inspecteur !

Il quitte la scène pour rejoindre la salle et aller s'asseoir avec les autres.

SCÈNE IV

Sur le plateau, Logicielle et Germain restent un moment silencieux sous les projecteurs. Derrière les parois en verre dépoli du décor – qui est évidemment le même que celui de l'acte III –

on perçoit, diffusés par une bande-son, le brou-ha-ha des gens et des agents qui vont et viennent, le crépitement des machines à écrire, la rumeur de la rue.

LOGICIELLE – Au fait, Germain, il subsiste un détail sur lequel vous n'êtes jamais revenu.

GERMAIN – Ah oui ? Lequel ?

LOGICIELLE – Le meurtre d'Edmond Joyeux... Car il s'agissait bien d'un meurtre, n'est-ce pas ? Cet acteur n'a pas placé lui-même la vraie balle qui allait le tuer ?

GERMAIN, *approuvant avec un sourire* – Je crois bien que c'était un meurtre, en effet.

LOGICIELLE – Et le coupable n'est pas Loulou ? Ni Alfredo, qui a remplacé l'acteur assassiné ?

Un léger frémissement parcourt le public qui, d'instinct, se tourne vers Loulou et Alfredo.

GERMAIN – Non, rassurez-vous, Loulou n'était pas en cause... Souvenez-vous : elle nous a naïvement révélé, au cours de son interrogatoire, qu'Edmond Joyeux voulait rompre avec Matilda. À mon avis, cela explique tout.

LOGICIELLE – C'est-à-dire ?

GERMAIN – Celle qui a commencé à mêler de vraies balles aux balles à blanc, par jeu, peut-être pour se lancer un défi à elle-même...

LOGICIELLE, *soudain frappée par l'évidence* – C'est Matilda!

GERMAIN – Oui. Et c'est aussi Matilda qui a placé la vraie balle dans le revolver. Lorsqu'elle a tiré ce soir-là, pour supprimer cet homme qu'elle aimait et qui voulait la quitter. Je suis sûr qu'elle a très bien visé. Ensuite, en bonne comédienne, elle a feint l'affolement, celui d'une femme qui vient de tuer son amant, par la faute d'un mystérieux saboteur. Le saboteur, c'était elle. Cet accident était un meurtre prémédité. Un meurtre qu'elle ne s'est sans doute jamais pardonné.

LOGICIELLE, *approuvant gravement* – Je préfère ça! Vous dissipez mes derniers doutes. Voyez-vous, Germain, j'ai beaucoup de sympathie pour Loulou. Nous nous téléphonons souvent. Hier, elle m'a demandé si j'acceptais d'être la marraine de son premier enfant…

GERMAIN, *étonné* – Loulou est enceinte?

LOGICIELLE – Et elle m'a demandé de vous sonder pour savoir si vous accepteriez d'être le parrain.

Stupéfait, Germain scrute l'obscurité de la salle. C'est au public qu'il semble s'adresser.

GERMAIN – Mais pourquoi ne l'a-t-elle pas fait elle-même?

LOGICIELLE – Vous l'impressionnez! Moi-même, Germain, ne vous ai-je pas dit que j'hésitais à vous joindre pour vous demander conseil?

GERMAIN, *soudain joyeux et détendu* – Vous êtes ridicules, toutes les deux! J'accepte, bien entendu. Et ce sera pour moi l'occasion de venir à Paris.

LOGICIELLE – Que voulez-vous dire?

GERMAIN – C'est vrai, vous ne savez pas encore. *(Il sort une bouteille du sac en plastique.)* J'ai obtenu ce matin ma mutation pour Bergerac. Je pensais que nous fêterions l'événement après… *(Hésitant, puis désignant la salle et le décor.)* après le spectacle!

LOGICIELLE, *stupéfaite à son tour* – Comment? Vous… vous partez?

GERMAIN – Mais oui. Dès ce soir.

LOGICIELLE, *soudain pâle, décontenancée* – Mais… nous ne nous verrons plus? Vous veniez justement de me dire que… que je pouvais vous demander conseil!

GERMAIN, *commençant à déboucher la bouteille* – Allons, Logicielle, je ne suis pas au bout du monde! Et vous vous êtes fort bien débrouillée sans moi pendant ces derniers mois.

Tout en parlant, Germain ouvre un des tiroirs du bureau, où Julien a placé deux verres tout à l'heure, à sa demande. Il les remplit et lève haut le sien.

GERMAIN – Je bois à vos futures enquêtes, Logicielle.

LOGICIELLE, *hésitant, verre en main* – J'avoue que je ne comprends pas votre décision. Depuis « l'affaire Matilda », vous n'êtes plus sur la touche !

GERMAIN – Précisément. Comme on dit au théâtre, je ne veux pas « rater ma sortie ». Eh bien… vous ne buvez pas ?

LOGICIELLE, *levant son verre en direction des spectateurs* – Si. Je bois à la petite fille qui va naître. Au bébé d'Alfredo et de Loulou.

Ils trinquent et boivent.

GERMAIN – Ils savent déjà que ce sera une fille ?

LOGICIELLE – Oui. Et elle s'appellera Matilda.

Germain semble d'abord pris de court. Enfin, il lève son verre, boit et déclare solennellement :

GERMAIN – À Matilda.

Enfin, il saisit son imperméable et tend les bras vers son ancienne stagiaire.

GERMAIN – Au revoir, Logicielle. Vous permettez que je vous embrasse ?

Ils s'embrassent quatre fois. Puis Germain s'éloigne.

LOGICIELLE – Mais… vous partez vraiment ?

GERMAIN, *très naturel* – Oui. Je quitte la scène. Je m'en vais… côté jardin !

LOGICIELLE, *désemparée, esquissant un geste pour le retenir* – Attendez ! Vous n'allez pas me laisser seule sur scène ?

GERMAIN – Vous tenez fort bien votre rôle, Logicielle. Je sais que vous l'assumerez jusqu'au bout.

Et Germain quitte la scène, en effet, côté jardin.
Sur le plateau, Logicielle reste un instant assise, sans savoir quelle contenance prendre. On la devine très émue. Derrière elle, les rumeurs mêlées du commissariat et de la rue soulignent le silence attentif du public.
Avec des yeux brouillés par les larmes, Logicielle tente, en scrutant l'obscurité de la salle, de deviner la silhouette de Germain qui, dans la travée centrale du théâtre, se fraie un chemin vers la sortie. Enfin, elle lève son verre vers lui et crie :

LOGICIELLE – Germain !

Invisible, lointain, Germain crie du fond de la salle :

GERMAIN – Eh bien, qu'attendez-vous, monsieur le régisseur?

En coulisses, Max Deguy a entendu et compris. Et devant Logicielle pétrifiée dans son geste, il procède au baisser du

RIDEAU.

Arrêtez la musique !

L'assassin connaît la musique : il frappe toujours à la 114e mesure ! Logicielle doit traquer la moindre fausse note dans la partition machiavélique que joue le tueur mélomane.

@ssassins.net

Pour démasquer un assassin trois siècles après son crime, Logicielle plonge dans un jeu fascinant infiltré par des tueurs bien réels...

Big Bug

Pour résoudre le crime d'un informaticien génial, Logicielle pénètre dans un monde insoupçonné.

Cinq degrés de trop

En participant à un voyage virtuel en 2100, Logicielle enquête sur l'avenir de la planète.

Des nouvelles de Logicielle

Quatre enquêtes où Logicielle fait preuve de maestria face à des meurtriers qui croient avoir commis le crime parfait…

L'Ordinatueur

Un ordinateur ultra-moderne peut-il être programmé pour tuer ? Logicielle risque sa vie face à la terrible machine.

Simulator

Un ordinateur nouvelle génération, Simulator, emmène Logicielle à la Réunion…

Mort sur le Net

Une épée surgie du passé entraîne Logicielle sur le Net…

DU MÊME AUTEUR DANS LA MÊME SÉRIE

Hacker à bord

Logicielle et Max acceptent d'assurer la protection d'un richissime industriel du secteur informatique lors d'une croisière de luxe. À la première escale, un hacker s'invite à bord…

L'AUTEUR

Christian Grenier est né à Paris en 1945. Depuis 1990, il vit de sa plume dans le Périgord. En 1993, sa fille le met au défi d'écrire un polar. Il décide de la mettre en scène déguisée en lieutenant de police stagiaire, dans un « roman policier en cinq actes », *Coups de théâtre*, où lui-même apparaît en inspecteur vieillissant. Ainsi naissent Logicielle et Germain Germain-Germain. Encouragé par ses lecteurs (et par sa fille !) il récidive avec *L'Ordinatueur*, où Max se révèle un adjoint fidèle, attachant et… possessif.

Depuis dix ans, la jeune informaticienne mène enquête sur enquête entre Paris et Périgord, dans l'histoire (*Mort sur le Net*), dans le milieu de l'informatique (*Big Bug*), des orchestres symphoniques (*Arrêtez la musique !*), sur le Net (*@ssassins.net*), sur l'île de la Réunion (*Simulator*), un paquebot de luxe (*Hacker à bord*) et dans un futur menacé par le changement climatique (*Cinq degrés de trop*).

Pour en savoir plus sur Christian Grenier, visitez son site sur :

http://www.noosfere.org/grenier

DANS LA MÊME COLLECTION

Allô ! Ici le tueur

Jay Bennett

Un soir d'hiver à New York, Jeff reçoit un coup de fil inquiétant. Un inconnu le menace de mort, sans raison apparente. Débute alors un terrible compte à rebours...

L'assassin est un fantôme

François Charles

Pas de vacances dans la Creuse pour l'inspecteur. Les meurtres s'accumulent et un cadavre disparaît ! Faut-il croire à la malédiction qui terrorise les villageois ?

DANS LA MÊME COLLECTION

Cadavre au sous-sol

Norah McClintock

Afin d'innocenter son père accusé du meurtre de sa mère, Tasha prend le risque de remuer de vieilles histoires avec son ami Mike, le roi des bricoleurs…

Murder party

Agnès Laroche

Pour faire de sa fête d'anniversaire un jour inoubliable, Max a organisé une murder party géante dans la forêt. Mais le jeu dérape et vire au drame…

Retrouvez tous les titres de la collection

Heure noire

sur **www.rageot.fr**
et **www.livre-attitude.fr**

RAGEOT s'engage pour
l'environnement en réduisant
l'empreinte carbone de ses livres.
Celle de cet exemplaire est de :
997 g éq. CO$_2$
Rendez-vous sur
www.rageot-durable.fr

PAPIER À BASE DE
FIBRES CERTIFIÉES

Achevé d'imprimer en France en janvier 2013
sur les presses de l'imprimerie Hérissey à Évreux
Dépôt légal : juin 2004
N° d'édition : 5847 - 14
N° d'impression : 119892